O Ano do Pensamento Mágico

D1160613

Joan Didion

O Ano do Pensamento Mágico

Tradução
Marina Vargas

HarperCollins

Rio de Janeiro, 2022

Copyright © 2005 by Joan Didion
All rights reserved including the rights of reproduction in whole or in part in any form.
Título original: *The Year of Magical Thinking*
Copyright de tradução © 2021 por Harper*Collins* Brasil

Todos os direitos desta publicação são reservados à Casa dos Livros Editora LTDA.

Nenhuma parte desta obra pode ser apropriada e estocada em sistema de banco de dados ou processo similar, em qualquer forma ou meio, seja eletrônico, de fotocópia, gravação etc., sem a permissão do detentor do copyright.

Diretora editorial: *Raquel Cozer*

Gerente editorial: *Alice Mello*

Editor: *Ulisses Teixeira*

Revisão: *Thaís Lima*

Projeto original de capa: *Robert Anthony, Inc.*

Capa: *Túlio Cerquize*

Diagramação: *Abreu's System*

CIP-Brasil. Catalogação na Publicação
Sindicato Nacional dos Editores de Livros, RJ

Didion, Joan
    O ano do pensamento mágico / Joan Didion; tradução Marina Vargas. – Duque de Caxias, RJ: HarperCollins Brasil, 2021.

    Título original: The year of magical thinking
    ISBN 978-65-5511-120-0

    1. Didion, Joan, 1934- – Casamento 2. Didion, Joan, 1934- – Família 3. Dunne, John Gregory, 1932-2003 – Morte e funeral 4. Escritoras americanas – Relações com a família 5. Jornalistas – Estados Unidos – Biografia 6. Mãe e filhos – Estados Unidos 7. Perda (Psicologia) 8. Viúvas – Estados Unidos I. Título.

21-57735   CDD: 818.5409

Cibele Maria Dias - Bibliotecária - CRB-8/9427

Os pontos de vista desta obra são de responsabilidade de seu autor, não refletindo necessariamente a posição da HarperCollins Brasil, da HarperCollins Publishers ou de sua equipe editorial.

HarperCollins Brasil é uma marca licenciada à Casa dos Livros Editora LTDA.
Todos os direitos reservados à Casa dos Livros Editora LTDA.
Rua da Quitanda, 86, sala 218 — Centro
Rio de Janeiro, RJ — CEP 20091-005
Tel.: (21) 3175-1030
www.harpercollins.com.br

Este livro é para John e para Quintana

1

A vida muda rapidamente.

A vida muda em um instante.

Você se senta para jantar, e a vida que você conhecia termina.

A questão da autopiedade.

ESTAS FORAM AS primeiras palavras que escrevi depois do que aconteceu. No computador, a data do arquivo do Microsoft Word (Notas sobre a mudança.doc) é "20 de maio de 2004, 23:11", mas deve ser porque o abri e salvei automaticamente antes de fechar. Eu não tinha feito nenhuma alteração naquele arquivo em maio. Não tinha feito nenhuma alteração desde que escrevera essas primeiras palavras, em janeiro de 2004, um, dois ou três dias depois do que aconteceu.

Durante muito tempo, não escrevi mais nada.

A vida muda em um instante.

Um instante normal.

Em algum momento, com o objetivo de lembrar o que parecia mais notável a respeito do que aconteceu, considerei acrescentar as palavras "um instante normal". Em seguida, me dei conta de que não havia necessidade de acrescentar a palavra "normal", porque era impossível esquecê-la: essa palavra nunca me saiu da cabeça. Era precisamente a natureza normal de tudo que precedera aquele acontecimento que me impedia de acreditar que tinha acontecido de verdade, absorver, incorporar, superar. Agora reconheço que não há nada de incomum nisso: confrontados com um desastre súbito, todos nos fixamos em quão banais foram as circunstâncias nas quais o impensável aconteceu, o céu azul e claro do qual caiu o avião, a tarefa rotineira que terminou com o carro em chamas na estrada, os balanços nos quais as crianças brincavam como de costume quando a cascavel atacou, saindo dos arbustos. "Ele estava voltando para casa depois de um dia de trabalho — feliz, bem-sucedido, saudável — e então... não mais", li no depoimento de uma enfermeira psiquiátrica cujo marido morreu em um acidente na estrada. Em 1966, entrevistei muitas pessoas que viviam em Honolulu na manhã de 7 de dezembro de 1941; sem exceção, todas começavam seu relato sobre o ataque a Pearl Harbor me dizendo como aquela havia sido uma "manhã de domingo normal". "Era um dia tranquilo e bonito de setembro", as pessoas ainda falam quando pedimos que descrevam a manhã em que os voos 11 da American Airlines e 175 da United Airlines se chocaram com as torres do World Trade Center, em Nova York. Até o relatório da Comissão do Onze de Setembro começa com esta nota narrativa insistentemente premonitória, e, ao mesmo tempo, repleta de perplexidade: "A terça-feira, 11 de setembro de 2001, amanheceu amena e quase sem nuvens na costa Leste dos Estados Unidos."

"E então... não mais." *No meio da vida estamos na morte*, dizem os episcopalianos junto ao túmulo. Mais tarde me dei conta de que, naquelas primeiras semanas, devia ter repetido os pormenores do que aconteceu a todas as pessoas que foram até nossa casa, a todos os amigos e parentes que levaram comida, serviram bebidas e puseram pratos na mesa da sala para quem estivesse presente à hora do almoço ou do jantar, a todos que recolheram os pratos e congelaram as sobras de comida, ligaram o lava-louças e encheram nossa casa (eu ainda não conseguia pensar nela como *minha* casa), que, caso contrário, estaria vazia, mesmo depois de eu ter ido para o quarto (nosso quarto, onde ainda havia, sobre o sofá, um roupão de veludo desbotado tamanho XL comprado nos anos 1970, na loja Rich Carroll, em Beverly Hills) e fechado a porta. Esses momentos, quando eu era abruptamente vencida pela exaustão, são o que me lembro com mais clareza dos primeiros dias e semanas. Não me lembro de ter contado os detalhes a ninguém, mas devo tê-lo feito, porque todos pareciam conhecê-los. Em certo momento, considerei a possibilidade de terem ficado sabendo das particularidades da história por meio de outra pessoa, mas a rejeitei de imediato: a história que conheciam era, em todos os casos, precisa demais para ter passado de boca a boca. Tinha vindo de mim.

Outra razão pela qual eu sabia que a história tinha vindo de mim era que nenhuma das versões que ouvira contava com os detalhes que eu ainda não conseguia encarar, como, por exemplo, o sangue no piso da sala de estar, que ficou lá até José chegar, na manhã seguinte, e limpá-lo.

José. Que era parte de nossa casa. Que deveria ter tomado um avião para Las Vegas mais tarde naquele mesmo dia, 31 de dezembro, mas acabou não embarcando. José estava chorando naquela manhã enquanto limpava o sangue. Quando contei a ele o que havia acontecido, a princípio ele não entendeu. Eu claramente não era a narradora ideal daquela história, alguma coisa em minha versão era ao mesmo tempo demasiado brusca e demasiado elíptica, alguma coisa em meu tom não tinha conseguido transmitir o fato principal daquela situação (uma incapacidade com a qual voltaria a me defrontar mais tarde, quando tive que contar a Quintana), mas, quando viu o sangue, José entendeu.

Eu tinha recolhido as seringas descartadas e os eletrodos do eletrocardiograma antes de ele chegar naquela manhã, mas não fui capaz de encarar o sangue.

Em linhas gerais.

Agora, quando começo a escrever isto, é dia 4 de outubro de 2004, à tarde.

Nove meses e cinco dias atrás, aproximadamente às nove da noite do dia 30 de dezembro de 2003, à mesa onde tínhamos acabado de nos sentar para jantar, na sala de nosso apartamento em Nova York, meu marido, John Gregory Dunne, aparentemente sofreu (ou de fato sofreu) um enfarte agudo do miocárdio que causou sua morte. Nossa única filha, Quintana, tinha passado as cinco noites anteriores inconsciente na unidade de terapia intensiva da ala Singer do Beth Israel Medical Center, naquela época um hospital na

East End Avenue (ele fechou em agosto de 2004), mais comumente conhecido como "Beth Israel North" ou "o antigo Doctor's Hospital", onde o que parecera ter sido um caso de gripe sazonal grave o suficiente para que ela tivesse de ser levada para a emergência na manhã de Natal eclodira em pneumonia e choque séptico. Essa é minha tentativa de entender o período que se seguiu, as semanas e então os meses que levaram com eles qualquer ideia fixa que eu pudesse ter sobre a morte, sobre a doença, sobre probabilidade e sorte, sobre boa e má fortuna, sobre casamento, filhos e memória, sobre a dor, sobre a maneira como as pessoas lidam ou não com o fato de que a vida acaba, sobre como a sanidade é frágil, sobre a própria vida. Fui escritora a vida inteira. Assim, mesmo ainda criança, muito antes de as coisas que escrevia começarem a ser publicadas, desenvolvi a percepção de que o significado em si residia no ritmo das palavras, das frases e dos parágrafos, uma técnica para reter o que eu pensava e acreditava por trás de um verniz cada vez mais impenetrável. A forma como escrevo é o que sou, ou o que me tornei; entretanto, neste caso, gostaria de ter, em vez das palavras e de seus ritmos, uma sala de edição equipada com um Avid, um sistema de edição digital no qual pudesse pressionar um botão e desmontar a sequência do tempo, mostrar a você, ao mesmo tempo, todos os fotogramas da memória que me vêm à mente agora, e deixar que escolha as sequências, as expressões ligeiramente distintas, as leituras variantes das mesmas falas. Neste caso, as palavras não me bastam para encontrar um significado. Neste caso, preciso que o que penso e acredito seja penetrável, ao menos para mim mesma.

2

TERÇA-FEIRA, 30 de dezembro de 2003.

Tínhamos visitado Quintana na UTI do sexto andar do Beth Israel North.

Tínhamos voltado para casa.

Tínhamos debatido sobre jantar fora ou comer em casa.

Eu disse que ia acender a lareira e que podíamos comer em casa.

Acendi a lareira, comecei a preparar o jantar, perguntei a John se ele queria um drinque.

Preparei um uísque e levei para ele na sala de estar, onde John estava lendo na poltrona ao lado da lareira na qual costumava se sentar.

Ele estava lendo um livro de David Fromkin, uma prova encadernada de *O último verão europeu — Quem começou a Grande Guerra de 1914?.*

Terminei de preparar o jantar e coloquei a mesa na sala de estar, onde, quando estávamos sozinhos em casa, podíamos comer diante da lareira. Dou ênfase à lareira porque as lareiras eram importantes para nós. Cresci na Califórnia, John e eu vivemos lá durante 24 anos juntos, e, na Califórnia, aquecíamos as casas acendendo a lareira. Nós a acendíamos mesmo nas noites de verão, quando caía o nevoeiro. O fogo indicava que estávamos em casa, que tínhamos traçado o círculo, que estaríamos seguros durante a noite. Acendi as velas. John pediu mais uma dose antes de se sentar. Eu a servi para ele. Nós nos sentamos à mesa. Estava concentrada em misturar a salada.

John estava falando e, de repente, se calou.

Em algum momento nos segundos ou no minuto antes de parar de falar, ele havia me perguntado se, ao preparar sua segunda dose de bebida, eu tinha usado uísque puro malte. Respondi que não, que tinha usado o mesmo uísque da primeira. "Ótimo", respondera ele. "Não sei por quê, mas acho que não é bom misturá-los." Em outro momento naqueles segundos ou naquele minuto, ele estivera falando sobre como a Primeira Guerra fora o acontecimento crucial a partir do qual se desenrolara todo o restante do século XX.

Não faço ideia de qual era o assunto sobre o qual falávamos, se o uísque ou a Primeira Guerra Mundial, no instante em que ele se calou.

Só me lembro de levantar os olhos. Sua mão esquerda estava erguida e ele estava curvado para a frente, imóvel. No início, pensei que estava fazendo uma piada de mau gosto, uma tentativa de amenizar as dificuldades daquele dia.

Lembro-me de dizer: "*Não faça isso.*"

Quando ele não respondeu, a primeira coisa que pensei foi que tinha começado a comer e engasgado. Lembro-me de tentar erguê-lo e afastá-lo do espaldar da cadeira para executar a manobra de Heimlich. Lembro-me de sentir seu peso quando desabou para a frente, primeiro sobre a mesa, em seguida no chão. Na cozinha, ao lado do telefone, eu tinha colado um cartão com os números das ambulâncias do New York-Presbyterian. Não tinha colado os números ali por antecipar um momento como aquele. Tinha colado os números ao lado do telefone para o caso de alguém no edifício precisar de uma ambulância.

Outra pessoa.

Liguei para um dos números. O atendente me perguntou se John estava respirando. Eu disse: *"Venham agora."* Quando os paramédicos chegaram, tentei explicar-lhes o que acontecera, mas, antes que conseguisse terminar, eles já tinham transformado a parte da sala onde John estava caído em um setor de emergência. Um deles (eram três, talvez quatro, mesmo uma hora mais tarde eu não saberia dizer) começou a falar com o hospital sobre o eletrocardiograma que, ao que parecia, já estava sendo transmitindo. Outro preparava a primeira ou segunda seringa das muitas injeções que seriam aplicadas. (Adrenalina? Lidocaína? Procainamida? Os nomes me vinham à mente, mas não imaginava de onde.) Eu me lembro de dizer a eles que talvez John tivesse engasgado. Essa possibilidade foi descartada com o aceno de um dedo: as vias aéreas estavam desobstruídas. Agora eles pareciam estar usando um desfibrilador, em uma tentativa de restabelecer o ritmo cardíaco. Captaram algo que se assemelhava a um ritmo cardíaco normal (ou foi o que pensei, estávamos todos em silêncio e houve um salto brusco na linha), que em seguida desapareceu, e eles começaram de novo.

"Ele ainda está em fibrilação", eu me lembro de ouvir o que estava ao telefone dizer.

"Fibrilação ventricular", esclareceu o cardiologista de John, na manhã seguinte, quando ligou de Nantucket. "Eles devem ter dito 'fibrilação ventricular'. Do ventrículo."

Talvez tenham dito "fibrilação ventricular". Talvez não.

A fibrilação atrial não causa necessariamente, e de forma imediata, uma parada cardíaca. A fibrilação ventricular, sim. Talvez ventricular estivesse subentendido.

Eu me lembro de tentar organizar em minha mente o que ia acontecer em seguida. Já que havia uma equipe de emergência na sala de estar, o próximo passo lógico seria irmos para o hospital. Ocorreu-me que eles poderiam decidir sair a qualquer momento e que eu não estaria pronta. Que não teria em mãos o que precisava levar. Representaria uma perda de tempo e seria deixada para trás. Peguei minha bolsa, as chaves e um resumo que o médico de John tinha preparado com seu histórico clínico. Quando voltei para a sala, os paramédicos estavam olhando para o monitor que tinham colocado no chão. Eu não conseguia ver o monitor, então observei seus rostos. Lembro-me de um deles olhar para os demais. Quando tomaram a decisão de removê-lo, tudo aconteceu muito rápido. Eu os segui até o elevador e perguntei se podia ir com eles. Disseram que primeiro iam levar a maca, que eu poderia ir na segunda ambulância. Um deles ficou comigo esperando o elevador. Quando eu e ele entramos na segunda ambulância, a primeira já estava se afastando do prédio. A distância do nosso edifício até a parte do New York-Presbyterian que costumava ser o New York Hospital é de seis quarteirões. Não me recordo de ouvir as sirenes. Não lembro se havia trânsito. Quando chegamos à entrada da emergência, a maca já estava desaparecendo no interior do hospital. Um homem esperava na entrada de veículos. Todas as outras pessoas estavam usando uniforme médico. Ele não. "Essa é a esposa dele?", perguntou ao motorista. Em seguida se dirigiu a mim. "Sou seu assistente social", ele falou, e acho que foi nesse momento que eu soube.

"Abri a porta, vi o homem de farda verde e soube. Soube imediatamente." Foi o que disse a mãe de um soldado de 19 anos morto por uma bomba em Kirkuk em um documentário da HBO citado por Bob Herbert no *The New York Times*, na manhã de 12 de novembro de 2004. "Mas pensei que, se não o deixasse entrar, ele não poderia me dar a notícia. E então aquilo... nada daquilo teria acontecido. Então ele repetia: 'Senhora, preciso entrar.' E eu continuava a dizer: 'Sinto muito, mas o senhor não pode.'"

Quando li isso durante o café da manhã quase onze meses depois da noite com a ambulância e o assistente social, reconheci aquela forma de pensar como sendo minha também.

Na emergência, vi a maca ser levada para um cubículo, empurrada por outras pessoas usando uniformes médicos. Alguém me disse para esperar na recepção. Obedeci. Havia uma fila para tratar dos documentos de admissão. Esperar na fila me pareceu a opção mais construtiva. Esperar na fila significava que ainda havia tempo de lidar com tudo aquilo. Eu tinha cópias do cartão do plano de saúde na bolsa; nunca tinha cuidado de trâmites naquele hospital — o New York Hospital era a parte do New York- -Presbyterian destinada à Universidade de Cornell, a parte que eu conhecia era a parte destinada à Universidade de Columbia, o Columbia-Presbyterian, na esquina da 168th com a Broadway, a vinte minutos de distância, no mínimo, longe demais em um caso de urgência como aquele —, mas podia me virar naquele hospital desconhecido, podia fazer algo útil, podia tomar as providências para transferi- -lo para o Columbia-Presbyterian assim que ele estivesse estável. Estava concentrada nos detalhes dessa transferên- cia iminente para o Columbia (ele ia precisar de uma cama com telemetria, e depois quem sabe eu também conseguis- se pedir a transferência de Quintana para o Columbia; na noite em que ela deu entrada no Beth Israel North, eu ti- nha escrito em um cartão os números de telefone de vários médicos do Columbia, um deles poderia providenciar tudo aquilo), quando o assistente social voltou, me tirou da fila dos documentos e me levou até uma sala vazia ao lado da recepção. "A senhora pode esperar aqui", disse ele. Esperei. A sala estava gelada, ou talvez fosse eu que estivesse. Me perguntei quanto tempo se passara entre o momento em que chamei a ambulância e a chegada dos paramédicos. Não parecia ter passado tempo algum (*um cisco no olho de Deus* foi a expressão que me ocorreu na sala contígua à recepção), mas deviam ter transcorrido no mínimo vários minutos.

Durante um período, tive no quadro de avisos de meu escritório, por motivos relacionados com o enredo de um filme, um cartão pautado rosa no qual tinha escrito à máquina uma frase do *Manual Merck* explicando quanto tempo o cérebro humano consegue ficar privado de oxigênio. A imagem do cartão pautado rosa me voltou à mente na sala ao lado da recepção: "A anóxia dos tecidos por mais de quatro a seis minutos pode resultar em danos cerebrais irreversíveis ou na morte." Eu estava dizendo a mim mesma que devia estar lembrando da frase errado quando o assistente social reapareceu. Estava acompanhado de outro homem, que me apresentou como "o médico de seu marido". Fez-se silêncio. "Ele está morto, não está?", eu me ouvi perguntar ao médico. O médico olhou para o assistente social. "Tudo bem", disse o assistente. "Ela é uma mulher tranquila." Eles me levaram até o cubículo cercado por cortinas onde John estava deitado, sozinho. Perguntaram se eu queria um sacerdote. Respondi que sim. Um sacerdote apareceu e disse algumas palavras. Eu agradeci. Me entregaram o clipe de prata com o qual John prendia a carteira de motorista e os cartões de crédito. Me entregaram o dinheiro que havia em seu bolso. Me entregaram seu relógio. Me entregaram seu telefone celular. Me entregaram um saco plástico dentro do qual, disseram, eu encontraria suas roupas. Agradeci. O assistente social perguntou se havia algo que pudesse fazer por mim. Eu disse que ele podia me colocar em um táxi. Ele o fez. Agradeci. "A senhora tem dinheiro para pagar a corrida?", perguntou ele. Eu, a mulher tranquila, respondi que sim. Quando entrei no apartamento, vi o casaco e o cachecol de John ainda sobre a poltrona onde ele os havia deixado quando voltamos da visita a Quintana no Beth Israel North (o cachecol de caxemira vermelho e o anoraque que tinha sido o uniforme da equipe do filme *Íntimo e pessoal*). Eu me perguntei o que uma mulher intranquila poderia fazer. Se descontrolar? Precisar de sedação? Gritar?

Eu me lembro de pensar que precisava discutir aquilo com John.

Não havia nada que eu não discutisse com John.

Como éramos escritores e ambos trabalhávamos em casa, nossos dias eram povoados pelo som de nossas vozes.

Eu não achava que ele estava sempre certo, nem ele achava que eu estava sempre certa, mas éramos a pessoa em quem o outro confiava. Não havia, em nenhuma circunstância, divergência em nosso trabalho e nossos interesses. Muita gente achava que, como às vezes um ou às vezes o outro recebia uma crítica mais positiva ou um adiantamento maior, nós devíamos "competir" de alguma forma, que nossa vida privada devia ser um campo minado de ressentimentos e invejas profissionais. Isso estava tão longe da verdade que a insistência das pessoas nessa ideia sugeria uma certa lacuna no entendimento geral do que é casamento.

Isso era mais uma das coisas que costumávamos discutir.

O que me recordo do apartamento, na noite em que voltei para casa sozinha do New York Hospital, foi o silêncio.

Na sacola plástica que me deram no hospital havia uma calça de veludo cotelê, uma camisa de lã, um cinto e acho que nada mais. As pernas da calça tinham sido cortadas no sentido do comprimento, suponho que pelos paramédicos. Havia sangue na camisa. O cinto era trançado. Lembro-me de colocar o telefone celular dele para carregar sobre sua mesa de trabalho. Lembro-me de colocar o clipe de prata em uma caixa no quarto onde guardávamos os passaportes, as certidões de nascimento e os comprovantes de nossa participação como jurados no tribunal. Olho para o clipe e vejo que estes eram os cartões que ele prendia: uma carteira de motorista do estado de Nova York cuja data de expiração era 25 de maio de 2004, um cartão de débito do Chase, um cartão American Express, um Mastercard da Wells Fargo, um carteirinha do Metropolitan Museum, uma carteirinha da Writers Guild of America West (estávamos na temporada que antecedia a votação da Academia, quando podíamos usar a carteirinha da WGAW para assistir a filmes de graça; ele devia ter ido ao cinema, não lembro), um cartão do Medicare, um cartão do metrô e um cartão emitido pela Medtronic com a inscrição "Eu tenho um marcapasso Kappa 900 SR", o número de série do aparelho, um número para ligar para o médico responsável pelo implante e a anotação: "Data do implante: 03 jun 2003". Eu me lembro de juntar o dinheiro que havia em seu bolso ao dinheiro em minha bolsa, alisando as notas e tomando o cuidado especial de juntar as de vinte com as de vinte, as de dez com as de dez, as de cinco e um com as de cinco e um. Eu me lembro de pensar, enquanto fazia isso, que dessa forma John ia ver que eu estava cuidando de tudo.

Quando o vi no cubículo rodeado de cortinas na emergência do New York Hospital, seu dente da frente estava lascado, imaginei que por causa da queda, já que também tinha hematomas no rosto. No dia seguinte, quando identifiquei o corpo na funerária Frank E. Campbell, os hematomas não estavam mais aparentes. Ocorreu-me que disfarçar os hematomas devia ser o que o agente funerário quis dizer quando recusei o embalsamamento, e ele respondeu: "Nesse caso, vamos apenas limpá-lo." O encontro com o agente funerário permanece remoto. Eu tinha chegado à Frank E. Campbell tão determinada a evitar qualquer reação inapropriada (lágrimas, raiva, riso descontrolado ou um silêncio digno de Oz) que reprimi todas as reações possíveis. Quando minha mãe morreu, o funcionário da funerária que foi buscar o corpo deixou em seu lugar na cama uma rosa artificial. Meu irmão tinha me contado isso profundamente ofendido. Eu queria estar blindada contra rosas artificiais. Lembro-me de tomar uma decisão rápida e enérgica a respeito do caixão. Lembro que, no escritório onde assinei os documentos, havia um grande relógio de pêndulo que não funcionava. Tony Dunne, o sobrinho de John que estava me acompanhando, mencionou ao homem da funerária que o relógio estava parado. Como se estivesse satisfeito por elucidar um elemento decorativo, o homem nos explicou que o relógio estava parado havia alguns anos, mas que o conservavam assim como "uma espécie de homenagem" a uma encarnação anterior da empresa. Ele parecia apresentar aquele relógio como se fosse uma lição. Eu me concentrei em Quintana. Consegui bloquear o que o agente funerário estava dizendo, mas não fui capaz de silenciar os versos que me vieram à mente quando me concentrei em Quintana: *Teu pai repousa a cinco braças/ Em pérola seus olhos traças.*

Oito meses depois, perguntei ao administrador de nosso edifício se ele ainda tinha os registros mantidos pelos porteiros referentes à noite do dia 30 de dezembro. Eu sabia que havia um registro, porque durante três anos tinha sido presidente do conselho que administrava o prédio, e o registro de entradas e saídas era parte intrínseca do protocolo do condomínio. No dia seguinte, o administrador me mandou a página referente ao dia 30 de dezembro. De acordo com os registros, os porteiros que trabalharam naquela noite eram Michael Flynn e Vasile Ionescu. Não me lembrava disso. Vasile Ionescu e John tinham uma rotina com a qual se divertiam no elevador, um pequeno jogo entre um exilado da Romênia de Ceaușescu e um católico irlandês de West Hartford, Connecticut, baseado em sua apreciação comum do posicionamento político. "Então, por onde anda Bin Laden?", perguntava Vasile quando John entrava no elevador, e a ideia era ver quem fazia a sugestão mais improvável. "Será que Bin Laden está na cobertura?" "No duplex?" "Na sala de ginástica?" Quando vi seu nome no registro, me dei conta de que não conseguia lembrar se Vasile tinha iniciado esse jogo quando voltamos do Beth Israel no início da noite do dia 30 de dezembro. No registro daquela noite havia apenas duas entradas, menos do que o normal mesmo para uma época do ano em que a maioria dos moradores viajava para locais de clima mais ameno:

NOTA: Às 21h20 paramédicos chegaram para atender o sr. Dunne. O sr. Dunne foi levado para o hospital às 22h05.
NOTA: Lâmpada queimada no elevador de passageiros A-B.

O elevador A-B era o nosso, o elevador que os paramédicos usaram para subir às 21h20, o elevador no qual, às 22h05, levaram John (e eu) até o térreo, onde as ambulâncias nos esperavam, o elevador no qual voltei sozinha para nosso apartamento em um horário não registrado. Não tinha notado que havia uma lâmpada queimada no elevador. Tampouco me dera conta de que os paramédicos haviam passado 45 minutos no apartamento. Sempre descrevera aquele tempo como "quinze ou vinte minutos". *Se ficaram tanto tempo, isso significa que John estava vivo?*, perguntei a um médico que conhecia. "Às vezes eles precisam de todo esse tempo", disse ele. Levei um tempo para me dar conta de que isso não respondia de maneira nenhuma minha pergunta.

O atestado de óbito, quando o recebi, registrava a hora da morte como 22h18 do dia 30 de dezembro de 2003.

Antes de deixar o hospital, me perguntaram se eu autorizaria uma autópsia. Respondi que sim. Mais tarde li que, nos hospitais, pedir a um familiar que autorize a autópsia é considerado algo delicado, sensível, com frequência o mais difícil dos procedimentos de rotina depois de uma morte. Os próprios médicos, de acordo com diversos estudos (por exemplo, de J.L. Katz e R. Gardner, "The Intern's Dilemma: The Request for Autopsy Consent", *Psychiatry in Medicine* 3:197-203, 1972), sentem uma ansiedade considerável quando têm de fazer esse pedido. Eles sabem que a autópsia é essencial para o aprendizado e o ensino da medicina, mas também sabem que o procedimento toca em um temor primitivo. Não sei se a pessoa que me pediu que autorizasse a autópsia no New York Hospital tinha sentido essa ansiedade, mas poderia tê-la poupado: eu definitivamente queria uma autópsia. Queria uma autópsia mesmo que já tivesse assistido a algumas enquanto fazia minhas pesquisas. Sabia exatamente o que acontecia, o peito aberto como uma galinha na bancada de um açougueiro, o rosto sem pele, a balança na qual os órgãos eram pesados. Eu já tinha visto detetives da divisão de homicídios desviarem o olhar durante uma autópsia. Ainda assim, queria uma. Precisava saber como, por que e quando tinha acontecido. Na verdade, gostaria de estar presente quando ela fosse realizada (tinha assistido a outras autópsias com John, portanto devia a ele estar presente na sua; sabia que, se fosse eu que estivesse na mesa, ele estaria lá), mas não confiei em mim mesma para apresentar meus argumentos de maneira racional, de modo que não o pedi.

Se a ambulância tinha deixado nosso prédio às 22h05, e a morte havia sido declarada às 22h18, os treze minutos transcorridos entre uma coisa e outra foram apenas contabilidade, burocracia, o necessário para se certificar de que os procedimentos hospitalares fossem cumpridos, a documentação fosse preparada e a pessoa apropriada estivesse presente para assinar a liberação e informar a mulher tranquila.

A liberação, eu soube mais tarde, se chamava "declaração", como em "Declarado morto às 22h18".

Eu tinha que acreditar que ele já estava morto desde o início.

Se não acreditasse que ele estava morto desde o início, teria que concluir que poderia tê-lo salvado.

Até ver o relatório da autópsia, continuei a pensar assim, um perfeito exemplo de autoengano do tipo onipotente.

Uma ou duas semanas antes de morrer, quando estávamos jantando em um restaurante, John me pediu que escrevesse algo no caderninho de anotações. Ele sempre andava com cartões para tomar notas, cartões de sete centímetros por quinze com seu nome impresso, que cabiam com facilidade no bolso interior do paletó. Durante o jantar, ele pensou em algo de que queria se lembrar mais tarde, mas, quando procurou nos bolsos, não encontrou nenhum cartão. "Preciso que você anote uma coisa", disse ele. E me disse que era para seu novo livro, não para o meu, detalhe que ressaltou porque, na época, eu estava fazendo pesquisa para um livro relacionado a esportes. Esta foi a nota que ele ditou: "Os técnicos costumavam sair depois de uma partida e dizer: 'Vocês jogaram bem.' Agora eles saem com a polícia estadual, como se isso fosse uma guerra e eles fossem o exército. É a militarização do esporte." Quando lhe entreguei a anotação, no dia seguinte, ele disse: "Você pode usá-la, se quiser."

O que ele quis dizer com isso?

Será que sabia que não ia escrever aquele livro?

Será que tivera uma premonição, sentira uma sombra? Por que se esquecera de levar os cartões naquela noite? Ele não havia me alertado, no dia em que esqueci meu caderninho de anotações, que a capacidade de tomar notas quando pensávamos em algo era a diferença entre sermos capazes e não sermos capazes de escrever? Será que naquela noite algo lhe dizia que o tempo de ser capaz de escrever estava se esgotando?

Certo verão, quando morávamos em Brentwood Park, adotamos o hábito de parar de trabalhar às dezesseis horas e ir para a piscina. Ele ficava em pé na água, lendo (naquele verão, releu várias vezes *A escolha de Sofia*, tentando perceber como funcionava), enquanto eu cuidava do jardim. Era um jardim pequeno, na verdade minúsculo, com caminhos de cascalho, um roseiral e canteiros com tomilho, santolina e matricária. Alguns anos antes, eu tinha convencido John de que devíamos arrancar parte do gramado para plantar aquele jardim. Para minha surpresa, uma vez que nunca havia demonstrado interesse por jardinagem, ele encarou o resultado final como uma dádiva quase mística. Pouco antes das cinco, naquelas tardes de verão, nadávamos um pouco e, em seguida, íamos para a biblioteca, enrolados em toalhas, para assistir a *Tenko*, uma série da BBC que na época passava na televisão sobre um grupo de mulheres inglesas satisfatoriamente previsíveis (uma delas era imatura e egoísta, outra parecia ser inspirada em *Mrs. Miniver*), aprisionadas em um campo de prisioneiros japonês na Malásia durante a Segunda Guerra Mundial. Depois de assistir ao episódio de *Tenko*, íamos para o andar de cima e trabalhávamos por mais uma ou duas horas, John em seu escritório no alto da escada, eu na varanda envidraçada do outro lado do corredor que se transformara em meu escritório. Às dezenove ou 19h30, saíamos para jantar, muitas vezes no Morton's. O Morton's nos parecia perfeito naquele verão. Sempre havia *quesadillas* de camarão e frango com feijão preto. Sempre havia alguém conhecido. O salão era fresco, elegante e escuro, mas dava para ver o crepúsculo lá fora.

Naquela época, John não gostava de dirigir à noite. Essa foi uma das razões, fiquei sabendo mais tarde, para ele querer passar mais tempo em Nova York, um desejo que então me pareceu um mistério. Certa noite naquele verão, ele me pediu para dirigir depois de termos jantado na casa de Anthea Sylbert em Camino Palmero, Hollywood. Eu me lembro de pensar em como aquilo era incomum. Anthea morava a menos de um quarteirão da casa na Franklin Avenue onde tínhamos morado de 1967 a 1971, de forma que não se tratava de dificuldade de se orientar em uma nova vizinhança. Ocorreu-me, enquanto ligava o motor, que podia contar nos dedos o número de vezes que tinha dirigido com John dentro do carro; a única outra ocasião da qual consegui me lembrar naquela noite foi quando o substituí ao volante para que descansasse em uma viagem de Las Vegas para Los Angeles. Ele cochilava no banco do passageiro do Corvette que tínhamos na época. De repente, abriu os olhos. Depois de um tempo disse, com muito cuidado: "Se eu fosse você, iria um pouco mais devagar." Eu não tinha a sensação de estar dirigindo a uma velocidade incomum, então dei uma olhada no velocímetro: estava a duzentos quilômetros por hora.

Ainda assim.

Uma viagem pelo deserto de Mojave era uma coisa. Nunca antes ele tinha me pedido para dirigir de volta para casa após jantarmos na cidade: aquela noite em Camino Palmero era sem precedentes. Assim como o fato de, ao fim do trajeto de 45 minutos até Brentwood Park, ele ter declarado que eu "dirigi bem".

Durante o ano que antecedeu sua morte, John mencionou diversas vezes aquelas tardes de piscina, jardim e *Tenko*.

Em *O homem diante da morte*, Phillipe Ariès observa que a característica essencial da morte, tal como aparece em *A canção de Rolando*, é que, mesmo quando é súbita ou acidental, sempre "anuncia sua chegada". Perguntam a Gawain: "Ah, meu bom senhor, crê então que em breve morrerá?" Gawain responde: "Eu lhes digo que não viverei dois dias." Ariès observa: "Nem o médico, nem seus amigos, nem os sacerdotes (estes ausentes e esquecidos) sabem tanto sobre a morte quanto ele. Apenas o homem moribundo sabe quanto tempo lhe resta."

Você se senta para jantar.

"Você pode usá-la, se quiser", dissera John quando lhe entreguei a anotação que ele havia ditado uma ou duas semanas antes.

E então... não mais.

A dor pela morte de uma pessoa amada, quando chega, não se parece nada com o que esperávamos. Não foi o que senti quando meus pais morreram: meu pai morreu quando faltavam poucos dias para seu aniversário de 85 anos, minha mãe, um mês antes de completar 91, ambos depois de vários anos de crescente debilidade. O que senti nas duas ocasiões foi tristeza, solidão (a solidão do filho abandonado, qualquer que seja a idade), pesar pelo tempo perdido, pelas coisas não ditas, pela minha incapacidade de compartilhar ou até mesmo de admitir de forma real, no fim, a dor, a impotência e a humilhação física pela qual meus pais passaram. Eu entendia que a morte dos dois era inevitável. Esperara (temendo, antecipando, imaginando) a vida inteira aquelas mortes. Quando por fim chegaram, permaneceram a certa distância, separadas do cotidiano de minha vida. Depois da morte de minha mãe, recebi uma carta de um amigo de Chicago, um antigo sacerdote Maryknoll, que intuiu com precisão o que eu sentia. A morte de um dos progenitores, escreveu ele, "apesar de estarmos preparados e, na verdade, apesar de nossa idade, desloca coisas profundas em nós, desencadeia reações que nos surpreendem e que podem libertar memórias e sentimentos que julgávamos há muito esquecidos. No período indeterminado que chamamos de luto, é como se estivéssemos em um submarino, em silêncio sobre o leito do oceano, sentindo a carga da profundidade, ora perto, ora longe, açoitados por recordações".

Meu pai estava morto, minha mãe também, e durante algum tempo eu precisaria ficar atenta às armadilhas, mas ainda assim continuaria a me levantar todas as manhãs e colocar a roupa suja para lavar.

Ainda planejaria o cardápio do almoço de Páscoa.

Ainda me lembraria de renovar o passaporte.

A dor pela morte de uma pessoa amada é diferente. Não há distância. Vem em ondas, paroxismos, apreensões súbitas que enfraquecem os joelhos, cegam os olhos e cancelam a normalidade da vida. Praticamente todos que já vivenciaram essa dor mencionam o fenômeno das "ondas". Eric Lindemann, chefe do serviço de psiquiatria do Massachusetts General Hospital na década de 1940, entrevistou muitos parentes de vítimas mortais do incêndio em Coconut Grove, em 1942, e definiu o fenômeno com absoluta precisão em um famoso estudo publicado em 1944: "Sensações de angústia somática que se apresentam em ondas que duram entre vinte minutos e uma hora cada, aperto na garganta, falta de ar, necessidade de suspirar e uma sensação de vazio no abdome, falta de força muscular e uma intensa angústia subjetiva, descrita como tensão ou dor mental."

Aperto na garganta.

Falta de ar, necessidade de suspirar.

Em meu caso, essas ondas chegaram na manhã de 31 de dezembro de 2003, sete ou oito horas depois do ocorrido, quando acordei sozinha no apartamento. Eu não me lembro de ter chorado na noite anterior; no momento em que tudo aconteceu, eu tinha entrado em uma espécie de choque durante o qual só me permiti pensar que havia coisas que precisava fazer. Houvera coisas que eu precisara fazer enquanto a equipe da ambulância estava na sala de estar. Tive, por exemplo, que pegar a cópia do resumo do histórico médico de John, para levá-la comigo para o hospital. Tive, por exemplo, que colocar mais carvão na lareira para diminuir as chamas, já que ia sair. Houve certas coisas que precisei fazer também enquanto estava no hospital. Tive, por exemplo, que esperar na fila. Tive, por exemplo, que me concentrar no leito com telemetria do qual John ia precisar quando fosse transferido para o Columbia-Presbyterian.

Quando voltei do hospital novamente havia coisas que precisava fazer. Não conseguia identificar todas elas, mas sabia de uma: antes de qualquer outra coisa, precisava contar o que tinha acontecido ao irmão de John, Nick. Pareceu-me muito tarde para ligar para o irmão mais velho deles, Dick, em Cape Cod (ele dormia cedo, havia algum tempo que não andava bem de saúde, e eu não queria acordá-lo com más notícias), mas precisava avisar a Nick. Não planejei como fazê-lo. Simplesmente me sentei na cama, peguei o telefone e disquei o número de sua casa em Connecticut. Ele atendeu. Dei-lhe a notícia. Depois que desliguei, regida pelo que posso descrever apenas como um novo padrão neurológico de discar números e pronunciar palavras, peguei o telefone outra vez. Não podia ligar para Quintana (ela ainda estava onde a havíamos deixado algumas horas antes, inconsciente na UTI do Beth Israel North), mas podia ligar para Gerry, com quem ela havia se casado cinco meses antes, e também podia ligar para meu irmão, Jim, que estava em sua casa em Pebble Beach. Gerry disse que ia para minha casa. Eu disse a ele que não havia necessidade, que eu ficaria bem. Jim disse que ia pegar um avião. Respondi que não havia necessidade de pensar em pegar aviões, nos falaríamos pela manhã. Estava tentando pensar no que fazer em seguida quando o telefone tocou. Era Lynn Nesbit, minha agente e de John e nossa amiga desde a década de 1960, se não estou enganada. Não ficou claro para mim naquele momento como ela ficara sabendo, mas ela sabia (tinha algo a ver com um amigo em comum com quem tanto Nick quanto Lynn pareciam ter falado no último minuto) e estava ligando do táxi a caminho de nosso apartamento. Em certo sentido, fiquei aliviada (Lynn sabia como cuidar das coisas, Lynn saberia o que eu precisava fazer), mas, em outro, fiquei desorientada: como ia lidar naquele momento com o fato de ter companhia? O que faríamos? Ficaríamos sentadas na sala com as seringas, os eletrodos do eletrocardiograma e o sangue ainda no chão? Será que eu deveria reavivar o fogo na lareira? Tomaríamos um drinque? Será que ela havia jantado?

Eu havia jantado?

No momento em que me perguntei se já tinha comido, tive o primeiro vislumbre do que estava por vir: se pensasse em comida, me dei conta naquela noite, ia vomitar.

Lynn chegou.

Nós nos sentamos na parte da sala onde não havia sangue, seringas ou eletrodos.

Enquanto falava com ela, lembro-me de pensar (essa foi a parte que não consegui dizer) que o sangue devia ser consequência da queda: ele havia tombado para a frente, daí o dente lascado que eu vira na emergência, e o dente devia ter cortado a parte interna do lábio.

Lynn pegou o telefone e disse que ia ligar para Christopher.

Outro momento de desorientação: o Christopher que eu conhecia melhor era Christopher Dickey, mas ele estava em Paris ou em Dubai, e, de qualquer maneira, Lynn teria se referido a ele como Chris, não Christopher. Eu me surpreendi pensando na autópsia. Poderia estar acontecendo no exato momento em que estávamos ali sentadas. Então me dei conta de que o Christopher a quem Lynn se referia era Christopher Lehmann-Haupt, o editor da seção de obituários do *The New York Times*. Eu me lembro da sensação de choque. Tive vontade de dizer "ainda não", mas minha boca ficou seca. Eu podia lidar com a ideia da "autópsia", mas a ideia do "obituário" não tinha me passado pela cabeça. "Obituário", ao contrário de "autópsia", que era algo entre mim, John e o hospital, significava que aquilo tinha de fato acontecido. Eu me peguei pensando, sem nenhuma lógica, se aquilo também tinha acontecido em Los Angeles. Tentei calcular que horas eram quando ele morreu e se já seria aquela hora em Los Angeles. (Haveria tempo de voltar atrás? Poderíamos ter um desfecho diferente no fuso horário do Pacífico?) Eu me lembro de ser tomada por uma necessidade imperiosa de não permitir que ninguém do *The Los Angeles Times* ficasse sabendo o que tinha acontecido ao ler o *The New York Times*. Liguei para nosso amigo mais próximo no *The Los Angeles*

Times, Tim Rutten. Não lembro o que Lynn e eu fizemos em seguida. Lembro-me de que ela se ofereceu para passar a noite comigo, mas eu recusei, dizendo que ficaria bem sozinha.

E fiquei.

Até de manhã, quando, antes de despertar por completo, tentei lembrar por que estava sozinha na cama. Senti um peso. O mesmo peso com o qual acordava nas manhãs depois que John e eu tínhamos brigado. Será que tínhamos brigado? Por quê, como tinha começado, como poderíamos resolver as coisas se eu não conseguia nem sequer me lembrar de como tudo teve início?

Então lembrei.

Durante várias semanas, era essa minha sensação ao despertar.

Desperto. Um travo dói, de treva, não de dia.

Um dos muitos versos dos diversos poemas de Gerard Manley Hopkins que John recitou nos meses logo após seu irmão mais novo cometer suicídio, uma espécie de rosário improvisado.

Ah!, a mente tem montanhas; precipícios, vias
Terríveis, que ninguém trilhou. Se alguém duvida
É que nunca as buscou.
Desperto. Um travo dói, de treva, não de dia.
Pedi para ficar
Onde o vento não ouse.[1]

---

1 Tradução de Augusto de Campos, *in: Hopkins: A beleza difícil.* São Paulo: Perspectiva, 1997.

Vejo agora que minha insistência em passar aquela primeira noite sozinha era algo mais complicado do que parecia, um instinto primitivo. É claro que eu sabia que John estava morto. É claro que já tinha dado a notícia a seu irmão, a meu irmão e ao marido de Quintana. O *The New York Times* sabia. O *The Los Angeles Times* sabia. Eu mesma, no entanto, não estava preparada para aceitar que aquela notícia fosse definitiva: de alguma maneira, continuava acreditando que o que tinha acontecido ainda era reversível. Era por isso que precisava ficar sozinha.

Depois daquela primeira noite, eu não ficaria sozinha por semanas (Jim e sua esposa, Gloria, vieram da Califórnia no dia seguinte, Nick voltou para a cidade, Tony e sua esposa, Rosemary, vieram de Connecticut, José cancelou a viagem para Las Vegas, nossa assistente Sharon antecipou a volta de uma viagem para esquiar, sempre havia gente em casa), mas eu precisava passar aquela primeira noite sozinha.

Eu precisava ficar sozinha para que ele pudesse voltar.

Aquele foi o início de meu ano do pensamento mágico.

3

O PODER QUE A DOR de perder uma pessoa querida tem de perturbar a mente já foi exaustivamente investigado. O ato de sofrer por essa perda, nos disse Freud em *Luto e melancolia*, de 1917, "envolve um grande desvio da atitude normal em relação à vida". No entanto, observou ele, essa dor permanece peculiar entre os transtornos: "Nunca nos ocorre encará-la como uma condição patológica e submetê-la a tratamento médico." Em vez disso, nos apegamos ao fato de que "ela será superada depois de um lapso de tempo". Encaramos "qualquer interferência em relação a ela como inútil e até mesmo prejudicial". Melanie Klein, em seu texto de 1940, "O luto e sua relação com os estados maníaco-depressivos", fez uma avaliação semelhante: "A pessoa que experimenta o luto está, na verdade, doente, mas como esse estado mental é tão comum e nos parece tão natural, não chamamos o luto de doença [...] Para expressar minha conclusão de maneira mais precisa: devo dizer que, durante o luto, o sujeito passa por um estado maníaco-depressivo modificado e transitório, que vai superar."

Note a ênfase em "superar".

Estávamos em pleno verão, alguns meses depois da noite em que precisei ficar sozinha para que ele pudesse voltar, quando por fim reconheci que, ao longo do inverno e da primavera, houvera ocasiões nas quais fui incapaz de pensar racionalmente. Eu tinha pensado como uma criança pequena, como se meus pensamentos e desejos tivessem o poder de reverter a narrativa e mudar seu desfecho. No meu caso, esse pensamento transtornado permanecera clandestino, não acho que tenha sido notado por ninguém mais, oculto inclusive de mim mesma, mas também fora, em retrospecto, ao mesmo tempo urgente e constante. Em retrospecto, houve sinais, alertas que eu deveria ter percebido. Por exemplo, a questão dos obituários. Não consegui lê-los. Isso se prolongou de 31 de dezembro, quando os primeiros foram publicados, até 29 de fevereiro, a noite da cerimônia do Oscar de 2004, quando vi uma fotografia de John na montagem "In Memoriam" feita pela Academia. Quando vi a fotografia, me dei conta, pela primeira vez, do motivo pelo qual os obituários tinham me perturbado tanto.

Eu permitira que outras pessoas soubessem que ele estava morto.

Eu permitira que ele fosse enterrado vivo.

Outro sinal de alerta: chegou um momento (no fim de fevereiro, início de março, depois que Quintana deixou o hospital, mas antes do funeral, que tinha sido adiado até que ela se recuperasse) em que me ocorreu que eu precisava me desfazer das roupas de John. Muitas pessoas tinham mencionado a necessidade de doar suas roupas, oferecendo-

-se para me ajudar, em geral de maneira bem-intencionada, porém (no fim das contas) equivocada. Eu tinha resistido. Não sabia por quê. Lembrava-me de, depois da morte de meu pai, ajudar minha mãe a separar suas roupas em pilhas para dar para a caridade e pilhas "melhores" para o bazar beneficente no qual minha cunhada Gloria trabalhava como voluntária. Depois que minha mãe morreu, Gloria, eu, Quintana e as filhas de Gloria e Jim tínhamos feito o mesmo com as roupas dela. Era parte do que as pessoas faziam depois da morte de alguém, parte do ritual, uma espécie de dever.

Comecei. Esvaziei uma prateleira na qual John havia empilhado moletons, camisetas e as roupas que usava para caminhar no Central Park de manhã bem cedo. Nós caminhávamos todos os dias. Nem sempre juntos, porque gostávamos de percursos diferentes, mas mantínhamos o percurso um do outro em mente e nos encontrávamos antes de sair do parque. As roupas naquela prateleira eram tão familiares quanto se fossem minhas. Bloqueei minha mente para essa ideia. Separei algumas coisas (um moletom desbotado que eu me lembrava especificamente dele usando, uma camiseta Canyon Ranch que Quintana trouxera para ele do Arizona), mas coloquei a maior parte do que havia na prateleira em sacolas que levei para a igreja episcopal de St. James, do outro lado da rua. Cheia de coragem, abri um armário e enchi mais sacolas: tênis New Balance, sapatos para todas as estações, calções da Brooks Brothers, sacola após sacola de meias. Levei tudo para a igreja. Um dia, algumas semanas mais tarde, peguei mais sacolas e fui para o escritório de John, onde ele guardava suas roupas. Ainda não estava preparada para lidar com os ternos, as camisas e os paletós, mas achei que podia dar conta do que restava dos sapatos. Era um começo.

Parei na porta do escritório.

Eu não podia me desfazer do restante dos sapatos.

Fiquei parada ali por um momento, então me dei conta do motivo: ele ia precisar de sapatos quando voltasse.

Reconhecer esse pensamento de maneira nenhuma o erradicou.

Ainda não tentei determinar (por exemplo, desfazendo--me dos sapatos) se essa ideia perdeu seu poder.

Ao refletir, vejo a autópsia em si como o primeiro exemplo desse tipo de pensamento. Deixando de lado tudo que eu tinha em mente quando a autorizei de maneira tão decidida, também havia um certo transtorno que me fazia pensar que uma autópsia poderia revelar que o problema tinha sido, no fim das contas, algo simples. Que não fora nada além de uma obstrução temporária ou uma arritmia. Que fora algo que exigiria apenas um pequeno ajuste — mudar a medicação, por exemplo, ou reiniciar o marcapasso. Nesse caso, meu raciocínio dizia, talvez ainda fosse possível corrigir o que dera errado.

Eu me lembro de ficar impactada por uma entrevista, durante a campanha presidencial de 2004, na qual Teresa Heinz Kerry falou sobre a morte súbita de seu primeiro marido. Depois do acidente aéreo que matou John Heinz, dizia na entrevista, ela tivera uma sensação fortíssima de que "precisava" deixar Washington e ir para Pittsburgh.

É claro que ela "precisava" ir para Pittsburgh.

Pittsburgh, e não Washington, era o lugar para onde ele poderia voltar.

A autópsia não aconteceu na noite em que John foi declarado morto.

Ela só foi realizada às onze horas do dia seguinte. Percebo agora que a autópsia só poderia ser realizada depois que um homem que eu não conhecia me ligou do New York Hospital, na manhã do dia 31 de dezembro. O homem que me ligou não era "meu assistente social", não era "o médico de meu marido", não era, como John e eu teríamos dito um ao outro, "nosso amigo da ponte". "Nosso amigo da ponte" era uma expressão de família que tinha a ver com a maneira como sua tia Harriet Burns descrevia avistamentos posteriores de estranhos com quem cruzara recentemente. Por exemplo, ver diante do Friendly's, em West Hartford, o mesmo Cadillac Seville que a tinha fechado no trânsito na ponte de Bulkeley mais cedo. "Nosso amigo da ponte", dissera ela. Eu pensava em John dizendo "não era nosso amigo da ponte" enquanto ouvia o homem ao telefone. Lembro-me de expressões de pêsames. Lembro-me de ofertas de ajuda. Ele parecia estar evitando o assunto principal.

Ele estava ligando, explicou por fim, para perguntar se eu queria doar os órgãos de meu marido.

Naquele instante, muitas coisas passaram pela minha mente. A primeira palavra que me ocorreu foi "não". Ao mesmo tempo, me lembrei de Quintana mencionando certa noite, durante o jantar, que se registrara como doadora de órgãos quando renovou a carteira de motorista. Ela perguntou a John se ele tinha feito o mesmo. Ele respondeu que não. E os dois começaram a debater a questão.

Eu mudei de assunto.

Não conseguia pensar em nenhum dos dois morto.

O homem ao telefone ainda estava falando. Eu pensava: "Se minha filha morresse hoje na UTI do Beth Israel North, me fariam a mesma pergunta? O que eu diria? O que faria agora?"

Ouvi a mim mesma dizendo ao homem ao telefone que nossa filha estava inconsciente. Ouvi a mim mesma dizendo que não me sentia capaz de tomar aquela decisão antes que nossa filha soubesse que o pai estava morto. Naquele momento, essa pareceu ser uma resposta razoável.

Só depois de desligar me dei conta de que nada daquilo era razoável. Esse pensamento foi suplantado imediatamente (e de maneira proveitosa — basta notar a mobilização instantânea das células brancas cognitivas) por outro: tinha alguma coisa naquele telefonema que não se encaixava. Havia ali uma contradição. Aquele homem estava falando sobre doação de órgãos, mas, àquela altura, não havia mais como fazer uma remoção produtiva de órgãos: John não estava sendo mantido vivo por aparelhos. Não estava ligado a aparelhos no cubículo delimitado por cortinas na emergência. Não estava ligado a aparelhos quando o padre apareceu. Todos os órgãos tinham entrado em falência.

Então me lembrei do departamento de medicina forense do condado de Miami-Dade. John e eu estivemos lá juntos em uma manhã em 1985 ou 1986. Havia uma pessoa do banco de olhos marcando os cadáveres para a remoção das córneas. Aqueles corpos no departamento de medicina forense de Miami-Dade tampouco estavam sendo mantidos vivos por aparelhos. Aquele homem do New York Hospital estava, portanto, falando apenas sobre retirar as córneas, os olhos. *Então por que não disse de uma vez? Por que me dar uma ideia equivocada? Por que não me ligar e dizer simplesmente "os olhos"?* Peguei na caixa em nosso quarto o clipe de prata que o assistente social tinha me entregado na noite anterior e verifiquei a carteira de motorista. *Olhos: azuis*, dizia o documento. *Restrições: lentes corretivas.*

Por que fazer aquele telefonema e não dizer simplesmente o que queria?

Seus olhos. Seus olhos azuis. Seus olhos azuis e imperfeitos.

e o que eu quero saber é
o que achou do seu menino de olhos azuis
Senhor Morte

Naquela manhã, não consegui lembrar quem tinha escrito esses versos. Achava que tinha sido E.E. Cummings, mas não tinha certeza. Eu não tinha nenhum livro de Cummings, mas encontrei uma antologia em uma estante de poesia do quarto, um velho livro de estudos de John, publicado em 1949, quando ele estava em Portsmouth Priory, o internato beneditino perto de Newport para o qual foi mandado após a morte do pai.

(*A morte do pai, súbita, cardíaca, com pouco mais de cinquenta anos: eu deveria ter percebido o alerta.*)

Quando estávamos nos arredores de Newport, John me levava até Portsmouth para ouvir o canto gregoriano vespertino. Era algo que o comovia. Na folha de rosto da antologia estava escrito o sobrenome Dunne, em uma caligrafia pequena e meticulosa, em seguida, na mesma caligrafia, em tinta azul de caneta-tinteiro, os seguintes apontamentos para estudo: *1) Qual é o significado do poema e qual é sua experiência? 2) A que pensamento ou reflexão nos leva essa experiência? 3) Que estado de espírito, sentimento ou emoção são despertados ou criados pelo poema como um todo?* Coloquei o livro de volta na estante. Foram necessários mais alguns meses para que eu me lembrasse de confirmar que os versos eram de fato de E.E. Cummings. Também foram necessários meses para eu perceber que a raiva que senti do desconhecido que me ligou do New York Hospital refletia outra versão do mesmo temor primitivo que não tinha sido despertado pela pergunta sobre a autópsia.

Qual era o significado e qual era a experiência?

A que pensamento ou reflexão nos levava a experiência?

Como John poderia voltar se removessem seus órgãos, como poderia voltar se não tivesse sapatos?

4

NA SUPERFÍCIE, eu parecia racional. Para o observador comum, eu aparentaria ter compreendido plenamente que a morte era irreversível. Tinha autorizado a autópsia. Tinha tratado da cremação. Tinha planejado pegar suas cinzas e levá-las para a catedral de St. John the Divine, onde, depois que Quintana despertasse do coma e estivesse bem o suficiente para estar presente, elas seriam depositadas na mesma capela junto ao altar principal onde meu irmão e eu tínhamos colocado as cinzas de nossa mãe. Eu providenciara para que a lápide de mármore na qual o nome dela estava gravado fosse removida para ser talhada novamente e incluir o nome de John. Por fim, no dia 23 de março, quase três meses depois de sua morte, vi suas cinzas serem postas na parede, a lápide de mármore ser recolocada no lugar e uma missa ser rezada em seu nome.

Houve canto gregoriano para John.

Quintana pediu que o canto fosse em latim. John teria pedido o mesmo.

Havia um único trompete.

Havia um padre católico e um vigário episcopal.

Calvin Trillin discursou, David Halberstam discursou, a melhor amiga de Quintana, Susan Traylor, discursou. Susanna Moore leu um fragmento do poema "East Coker", de T.S. Eliot, a parte que diz: "Pois apenas se aprendeu a escolher o melhor das palavras/ Para o que não há mais a dizer, ou o meio pelo qual/ não mais se está disposto a fazê--lo."[2] Nick leu Catulo, "Na morte de seu irmão". Quintana, ainda fraca, mas com a voz firme, usando um vestido preto e de pé na mesma catedral onde, oito meses antes, tinha se casado, leu um poema que escrevera para o pai.

Eu tinha conseguido. Eu tinha reconhecido que ele estava morto. Tinha feito isso da maneira mais pública que podia imaginar.

Ainda assim, meus pensamentos permaneciam suspeitosamente fluidos. Em um jantar no fim da primavera ou começo do verão, conheci casualmente um proeminente teólogo. Alguém à mesa levantou uma questão sobre a fé. O teólogo falou de como os rituais em si já constituem uma forma de fé. Não expressei minha reação, mas ela foi negativa, veemente, excessiva até mesmo para mim. Mais tarde, me dei conta de que meu pensamento imediato tinha sido: *Mas eu já cumpri os rituais, eu os cumpri por inteiro*. Fui à catedral de St. John the Divine, providenciei o canto em latim, o padre católico e o padre episcopal, cantei "Porque mil anos são a teus olhos como o dia de ontem que passou" e *"In paradisum deducant angeli"*.

E nada disso o trouxe de volta.

---

2 Tradução de Ivan Junqueira, *in:* T.S. Eliot, *Obra completa – volume I: Poesia*. São Paulo: ARX, 2004.

"Trazê-lo de volta" fora, durante aqueles meses, meu objetivo secreto, um truque de mágica. No fim do verão, eu estava começando a ver isso com clareza. "Ver isso com clareza", no entanto, ainda não me permitia doar as roupas das quais ele precisaria.

Em tempos difíceis, me ensinaram desde criança, eu devia ler, aprender, investigar, recorrer à literatura especializada. Informação é controle. Considerando que a dor da perda de uma pessoa amada ainda é a mais comum das aflições, a literatura a respeito me pareceu surpreendentemente escassa. Havia o diário que C.S. Lewis manteve após a morte de sua esposa, *A anatomia de uma dor: um luto em observação*. Havia uma passagem ocasional em um ou outro romance, por exemplo, a descrição de Thomas Mann em *A montanha mágica* do efeito sobre Hermann Castorp da morte de sua esposa: "Seu espírito estava transtornado; retraiu-se em si mesmo; seu cérebro aturdido fazia com que se equivocasse nos negócios, de maneira que a firma Castorp e Filho sofreu prejuízos consideráveis; e, na primavera seguinte, enquanto inspecionava armazéns no desembarcadouro ventoso, contraiu uma inflamação nos pulmões. A febre foi demais para seu coração combalido, e ao fim de cinco dias, apesar de todos os cuidados do dr. Heidekind, ele morreu." Havia, nos balés clássicos, aqueles momentos em que um amante abandonado tenta encontrar e ressuscitar o ser amado: a luz azulada, os tutus brancos, o *pas de deux* com o ser amado que prenuncia o retorno final aos mortos: *la danse des om-*

bres, a dança das sombras. Havia alguns poemas, na verdade muitos. Durante um dia ou dois, me apoiei em Matthew Arnold, "The Forsaken Merman":

Deveriam soar doces as vozes das crianças
(chamando uma vez mais) aos ouvidos da mãe;
A voz das crianças, berrando de dor...
pedindo que ela volte, por favor!

Havia dias em que me apoiava em W.H. Auden, nos versos de "Funeral Blues", da peça *The Ascent of F6*:

Que parem os relógios, cale o telefone,
jogue-se ao cão um osso e que não ladre mais,
que emudeça o piano e que o tambor sancione
a vinda do caixão com seu cortejo atrás.[3]

Os poemas e as danças das sombras me pareciam as expressões mais precisas.

Além ou abaixo dessas representações mais abstratas do sofrimento e da fúria da dor pela morte de um ser amado, havia todo um corpo de subliteratura: guias para lidar com a condição, alguns "práticos", outros "inspiracionais", a maioria inútil. (Não beba demais, não gaste o dinheiro do seguro de vida redecorando a sala de estar, recorra a um grupo de apoio.) Restava apenas a literatura especializada, os estudos conduzidos por psiquiatras, psicólogos e assis-

---

3 Tradução de Nelson Ascher, *in: Poesia Alheia – 124 poemas traduzidos*. Rio de Janeiro: Imago, 1998.

tentes sociais que vieram depois de Freud e Melanie Klein, e logo foi a essa literatura que me vi recorrendo. Descobri nela muitas coisas que já sabia, o que, em determinado momento, pareceu me oferecer conforto, validação, uma opinião externa que me dizia que não estava imaginando o que parecia estar acontecendo. Com o livro *Bereavement: Reactions, Consequences, and Care*, compilado em 1984 pelo Instituto de Medicina da National Academy of Sciences, aprendi, por exemplo, que as reações imediatas mais frequentes à morte são choque, torpor e um sentimento de incredulidade: "No plano subjetivo, os sobreviventes podem ter a sensação de estar presos em um casulo ou em um cobertor; diante dos outros, dão a impressão de estar lidando bem com o ocorrido. Como a realidade da morte ainda não penetrou a consciência, pode parecer que os sobreviventes estão assimilando bem a perda."

Aqui, portanto, tínhamos o efeito "mulher tranquila".

Continuei a ler. Aprendi, com J. William Worden, do Harvard Child Bereavement Study, do Massachusetts General Hospital, que fora observado que os golfinhos se recusavam a comer depois da morte de um parceiro. Observou-se que os gansos reagiam à morte de um parceiro voando, chamando e procurando até eles mesmos ficarem desorientados e perdidos. Seres humanos, eu li apesar de já saber, mostravam padrões similares de reação. Procuravam. Deixavam de comer. Esqueciam-se de respirar. Ficavam cada vez mais fracos por causa nos níveis baixos de oxigênio, os seios da face se congestionavam pelas lágrimas não derramadas e acabavam no consultório de um otorrino com misteriosas infecções de ouvido. Perdiam a concentração. "Depois de um ano, ainda conseguia ler apenas as manchetes", me contou uma amiga cujo marido tinha morrido três anos antes. Perdiam capacidades cognitivas em todos os níveis. Como Hermann Castorp, cometiam equívocos nos negócios e sofriam prejuízos consideráveis. Esqueciam-se dos próprios números de telefone e apareciam no aeroporto sem documento de identidade. Caíam doentes, fracassavam e até mesmo, novamente como Hermann Castorp, morriam.

Esse aspecto "mortal" fora documentado em diversos estudos.

Comecei a levar minha identidade quando ia caminhar no Central Park pela manhã, caso algo acontecesse comigo.

Se o telefone tocava enquanto estava no banho, eu não atendia mais, para evitar cair morta sobre os azulejos.

Certos estudos, descobri, eram famosos. Eram ícones da literatura especializada, referências, mencionados em tudo que eu lia. Havia, por exemplo, o estudo de Young, Benjamin e Wallis, publicado no *Lancet* (2:454-456, 1963). Esse estudo, envolvendo 4.486 pessoas viúvas no Reino Unido, acompanhadas ao longo de cinco anos, mostrou "uma taxa de mortalidade significativamente mais elevada para as pessoas viúvas nos primeiros seis meses depois da perda do que para as pessoas casadas". Havia o estudo de Rees e Lutkins publicado no *British Medical Journal* (4:13-16, 1967). Esse estudo com 903 familiares que tinham vivenciado uma perda recente em oposição a 878 sem uma perda recente (que serviam como grupo de controle), ao longo de seis anos, mostrou "uma mortalidade significativamente mais elevada, no primeiro ano, para os cônjuges que tinham perdido o companheiro". A explicação funcional para essas taxas de mortalidade tão elevadas foi apresentada na compilação feita em 1984 pelo Institute of Medicine: "Pesquisas até o momento mostraram que, assim como muitos outros fatores de estresse, a dor da perda com frequência provoca alterações nos sistemas endócrino, imunológico, nervoso autônomo e cardiovascular; todos fundamentalmente influenciados pelo funcionamento do cérebro e dos neurotransmissores."

Também aprendi com essa literatura que havia dois tipos de dor pela morte de um ser amado. O tipo preferível, associado com o "crescimento" e o "desenvolvimento", era o "luto não complicado" ou "luto normal". Esse luto não complicado, de acordo com o *Manual Merck*, em sua 16ª edição, podia apresentar, tipicamente, "sintomas de ansiedade como insônia inicial, inquietude e hiperatividade do sistema nervoso autônomo", mas "em geral não causa depressão clínica, exceto naquelas pessoas propensas a transtornos emocionais". O segundo tipo era o "luto complicado", também conhecido na literatura especializada como "luto patológico", e que se verificava em uma variedade de situações. Uma das situações nas quais o luto patológico podia se manifestar, li repetidas vezes, era quando o sobrevivente e o morto dependiam um do outro de maneira incomum. "Seria o sobrevivente dependente demais da pessoa falecida em termos de prazer, apoio ou estima?" Esse era um dos critérios de diagnóstico sugeridos pelo dr. David Peretz, do Departamento de Psiquiatria da Universidade de Columbia. "O sobrevivente costumava se sentir desamparado sem a pessoa falecida quando era forçado a se separar dela?"

Considerei essas questões.

Uma vez, em 1968, tive que passar a noite em São Francisco (eu estava trabalhando em um artigo, chovia sem parar e a chuva adiou para a manhã seguinte uma entrevista que eu faria no fim da tarde), então John pegou um voo em Los Angeles para podermos jantar juntos. Jantamos no Ernie's. Depois do jantar, John pegou um voo noturno da PSA, uma comodidade de 13 dólares em uma época na Califórnia em que era possível voar de Los Angeles para São Francisco, Sacramento ou San Jose por 26 dólares ida e volta do aeroporto internacional de Los Angeles.

Pensei na PSA.

Todos os aviões da PSA tinham sorrisos pintados no bico. As comissárias de bordo se vestiam ao estilo Rudy Gernreich, com minissaias rosa e laranja. A PSA representava uma época em nossa vida em que a maioria das coisas que fazíamos parecia inconsequente, prodigiosa, um estado de espírito no qual ninguém pensava duas vezes antes de voar mais de mil quilômetros apenas para jantar. Esse clima terminou em 1978, quando um Boeing 727 da PSA se chocou com um Cessna 172 sobre San Diego, matando 144 pessoas.

Quando isso aconteceu, me dei conta de que tinha desconsiderado as probabilidades no que dizia respeito à PSA.

Vejo agora que esse erro não se limitava à PSA.

Quando, com dois ou três anos, Quintana voou pela PSA para Sacramento para visitar meus pais, ela se referiu ao voo como "viajar no sorriso". John costumava anotar as coisas que ela dizia em pedaços de papel e colocar em uma caixa pintada de preto, um presente de sua mãe. Nessa caixa, que ainda contém os pedaços de papel e está sobre uma mesa em minha sala de estar, havia o desenho de uma águia americana e as palavras "*E Pluribus Unum*". Mais tarde, ele usou algumas das coisas que Quintana dizia em um romance, *Dutch Shea, Jr.* Atribuiu-as à filha de Dutch Shea, Cat, que morrera em um atentado à bomba do IRA enquanto jantava com a mãe em um restaurante na Charlotte Street, em Londres. Eis parte do que ele escreveu:

"Aonde você iu?", dizia ela, e "Pra onde iu a manhã?". Ele escrevia todas as frases e em seguida enfiava em uma pequena gaveta secreta na escrivaninha de madeira de bordo que Barry Stukin tinha dado a ele e a Lee como presente de casamento [...] Cat com seu uniforme xadrez. Cat, que chamava o banho de "banhamento" e as borboletas de um experimento do jardim de infância de "voaletas". Cat, que compôs seu primeiro poema aos sete anos: "Eu vou me casar/ Com um rapaz chamado Omar/ Ele monta a cavalo/ E joga baralho".

O Homem Partido vivia naquela gaveta. O Homem Partido era como Cat chamava o medo, a morte e o desconhecido. Tive um pesadelo com o Homem Partido, dizia ela. Não deixe o Homem Partido me pegar. Se o Homem Partido vier, eu me agarro à cerca e não deixo ele me levar [...] Ele se perguntou se Homem Partido tivera tempo de assustar Cat antes de ela morrer.

Vejo agora o que não enxerguei em 1982, o ano em que *Dutch Shea, Jr.* foi publicado: era um romance sobre a dor pela perda de um ser amado. A literatura especializada teria dito que o protagonista, Dutch Shea, estava sofrendo de luto patológico. Os sintomas do diagnóstico teriam sido estes: ele está obcecado com o momento da morte de Cat. Revisita repetidas vezes a cena, como se a repetição pudesse revelar um fim diferente: o restaurante na Charlotte Street, a salada de endívias, as alpargatas lilases de Cat, a bomba, a cabeça de Cat no carrinho de sobremesas. Ele tortura sem cessar a ex-esposa, mãe de Cat, repetindo sempre a mesma pergunta: por que ela estava no banheiro quando a bomba explodiu? Por fim, ela responde:

Você nunca me deu muito crédito por ser mãe de Cat, mas fui eu que a criei. Cuidei dela no dia em que ficou menstruada pela primeira vez; me lembro de que, quando era pequena, chamava meu quarto de seu doce segundo quarto, chamava *spaghetti* de *buzzghetti* e as pessoas que iam até nossa casa de "os olás". Ela perguntava "aonde você iu" e "pra onde iu a manhã", e você, seu filho da mãe, foi dizer a Thyer que queria alguém que o lembrasse dela. Ela me disse que estava grávida, que tinha sido um acidente, queria saber o que fazer, e eu fui ao banheiro porque sabia que ia chorar e não queria chorar na frente dela, queria me livrar das lágrimas para poder agir de maneira sensata, então ouvi a bomba e, quando finalmente saí, parte dela estava em cima do sorvete e outra parte na rua, e você, seu filho da mãe, você quer que alguém o lembre dela.

Acho que John teria dito que *Dutch Shea, Jr.* era sobre fé.

Quando começou a escrever o romance, ele já sabia quais seriam as palavras finais, não apenas as últimas palavras do romance, mas as últimas palavras que Dutch Shea pensou antes de se matar com um tiro: "Creio em Cat. Creio em Deus." *Credo in Deum.* As primeiras palavras do catecismo católico.

Mas seria um romance sobre fé ou um romance sobre a perda de um ser amado?

Seriam a fé e a dor da perda a mesma coisa?

Tínhamos uma dependência incomum um do outro no verão em que nadávamos, assistíamos a *Tenko* e saíamos para jantar no Morton's?

Ou tínhamos uma sorte incomum?

Se eu ficasse sozinha, será que ele voltaria para mim "no sorriso"?

Será que ele diria para eu fazer uma reserva no Ernie's?

A PSA e o sorriso não existiam mais, a empresa aérea tinha sido vendida para a US Airways, que pintou os aviões.

O Ernie's não existe mais, apesar de ter sido brevemente recriado por Alfred Hitchcock para *Um corpo que cai.* A primeira vez que James Stewart vê Kim Novak é no Ernie's. Mais tarde, ela cai da torre do campanário (também recriada, por um efeito especial) da Missão San Juan Bautista.

Nós nos casamos na San Juan Bautista.

Em uma tarde de janeiro, quando flores desabrochavam nas árvores ao longo da rodovia 101.

Quando ainda havia árvores ao longo da rodovia 101.

———

Não. Voltar ao passado era o que me desviava do caminho. As flores nas árvores ao longo da rodovia 101 eram o caminho incorreto.

Durante as semanas que sucederam ao que aconteceu, tentei me manter no caminho correto (o caminho estreito, o caminho do qual não havia volta), repetindo para mim mesma os dois últimos versos de "Rose Aylmer", a elegia que Walter Savage Landor escreveu em 1806 em memória de uma das filhas de lorde Aylmer que morrera aos vinte anos, em Calcutá. Eu não pensava em "Rose Aylmer" desde meu primeiro ano em Berkeley, mas agora me lembrava não apenas do poema, mas de grande parte do que tinha sido dito sobre ele nas aulas durante as quais eu o ouvira ser analisado. "Rose Aylmer" funcionava, tinha dito quem quer que estivesse dando aquela aula, porque o elogio exagerado e, portanto, vazio da falecida nos quatro primeiros versos ("Ah, que nobre raça/ ah, que forma divina!/ quanta virtude, quanta graça!/ Rose Aylmer, tiveste tudo!") é logo interrompido de forma repentina e até mesmo assombrosa pela "dura e doce sabedoria" dos dois últimos versos, que sugerem que a dor do luto tem seu lugar, mas também tem limites: "Uma noite de lembranças e suspiros/ eu consagro a ti."

"Uma *noite* de lembranças e suspiros", eu me lembro do professor repetindo. "*Uma noite*. Apenas uma noite. Poderia ser uma noite inteira, mas o poeta nem sequer diz *uma noite inteira*; ele diz uma noite, não uma vida inteira, mas algumas horas."

Uma dura e doce sabedoria. A julgar pela forma como "Rose Aylmer" tinha ficado gravado em minha memória, estava claro que, durante os estudos na universidade, eu acreditava que ele oferecia uma lição de sobrevivência.

30 de dezembro de 2003.

Tínhamos visitado Quintana na UTI do sexto andar no Beth Israel North.

Onde ela permaneceria por mais vinte e quatro dias.

Uma dependência incomum (seria outra forma de dizer "casamento"? "Marido e mulher"? "Mãe e filho"? "Família nuclear"?) não é a única situação na qual pode ocorrer o luto complicado ou patológico. Outra situação, segundo li na literatura especializada, é aquela na qual o processo de luto é interrompido por "fatores circunstanciais", por exemplo, "a postergação do funeral" ou "uma doença ou outra morte na família". Li uma explicação do dr. Vamik D. Volkan, professor de psiquiatria na Universidade da Virgínia em Charlottesville, sobre o que ele chamava de "terapia de revivência do luto", técnica desenvolvida na Universidade da Virgínia para o tratamento de "vítimas diagnosticadas de luto patológico". No decorrer dessa terapia, de acordo com o dr. Volkan, chega um ponto em que:

> Ajudamos o paciente a reviver as circunstâncias da morte: como ela ocorreu, como o paciente reagiu à notícia e à visão do cadáver, aos acontecimentos do funeral etc. Se a terapia está correndo bem, é nesse ponto que a raiva costuma aparecer; de início difusa, em seguida dirigida aos outros e, por fim, dirigida ao morto. Podem, portanto, acontecer ab-reações

— o que Bibring [E. Bibring, 1954, "Psychoanalysis and the Dynamic Psychotherapies", *Journal of the American Psychoanalytic Association* 2:745 ss.] chama de "revivência emocional" —, que demonstram ao paciente a realidade de seus impulsos reprimidos. Usando nossa compreensão da psicodinâmica relativa à necessidade do paciente de manter vivo o ser amado que perdeu, podemos explicar e interpretar a relação que existiu entre o paciente e aquele que morreu.

Mas de onde exatamente o dr. Volkan e sua equipe em Charlottesville derivam sua singular interpretação da "psicodinâmica relativa à necessidade do paciente de manter vivo o ser amado que perdeu", sua capacidade especial de "explicar e interpretar a relação que existiu entre o paciente e aquele que morreu"? Por acaso ele estava assistindo a *Tenko* comigo e com o "ser amado que perdi" em Brentwood Park? Foi jantar conosco no Morton's? Estava comigo e com "aquele que morreu" no cemitério em Punchbowl, Honolulu, quatro meses antes do que aconteceu? Colheu flores de pluméria conosco e as depositou nos túmulos de desconhecidos mortos em Pearl Harbor? Pegou um resfriado conosco por causa da chuva no Jardin du Ranelagh em Paris um mês antes do que aconteceu? Deixou de ver os Monets, como nós, para ir almoçar no Conti? Estava conosco quando deixamos o Conti e compramos um termômetro? Estava sentado em nossa cama no Bristol quando nenhum de nós dois conseguiu converter os graus centígrados do termômetro para graus Fahrenheit?

Estava?

Não.

Talvez pudesse ter ajudado com o termômetro, mas não estava lá.

Eu não preciso "reviver as circunstâncias da morte". Eu estava lá.

Ninguém me deu "a notícia", não "vi" o cadáver. Eu estava lá.

Percebo o que estou fazendo e paro.

Eu me dou conta de que estou dirigindo uma raiva irracional ao completamente desconhecido dr. Volkan em Charlottesville.

Pessoas sob o choque de um sofrimento genuíno não ficam apenas psiquicamente perturbadas, mas também padecem de desequilíbrios físicos. Não importa quão tranquilas e no controle da situação possam parecer, ninguém nessas circunstâncias pode estar normal. Os transtornos circulatórios fazem com que sintam frio, a angústia as deixa desequilibradas e insones. Com frequência se afastam das pessoas de quem gostam. Ninguém deveria se impor àqueles que estão sofrendo pela perda de um ser amado, e todas as pessoas muito emotivas, não importa quão próximas e quão queridas, devem ser absolutamente evitadas. Embora o conhecimento de que seus amigos os amam e sofrem por eles seja um grande consolo, os recém-enlutados devem ser protegidos de qualquer pessoa e qualquer coisa que possa abalar seus nervos já em ponto crítico, e ninguém tem o direito de ficar ofendido ao ouvir que não é útil nem será recebido. Nesses momentos, para algumas pessoas, ter companhia é um conforto, outras se afastam de seus amigos mais queridos.

Essa passagem é do Capítulo XXIV do livro de etiqueta de Emily Post, *Funerals*, publicado em 1922, que conduz o leitor do momento da morte ("Assim que ocorre a morte, alguém, em geral uma enfermeira, fecha as cortinas da alcova do morto e manda uma criada fechar todas as cortinas da casa") até instruções sobre a disposição dos lugares dos convidados em um velório: "Entre na igreja o mais silenciosamente possível e, como nos funerais não há cerimonialista, sente-se perto de onde seja seu lugar. Apenas um amigo muito íntimo deve ocupar um lugar central e nas fileiras mais à frente. Se for apenas um conhecido, sente-se discretamente em algum lugar no fundo, a não ser que o funeral seja muito pequeno e a igreja, grande; nesse caso você pode se sentar em um lugar na ponta, em uma fileira central, mas mais para trás."

Esse tom, de uma especificidade inequívoca, se mantém durante todo o livro. A ênfase permanece na parte prática. É preciso estimular o enlutado a "se sentar em um ambiente ensolarado", de preferência um no qual haja uma lareira acesa. Comida, mas "bem pouca", pode ser oferecida em uma bandeja: chá, café, caldo, uma torrada fina ou um ovo *poché*. Leite, mas apenas leite quente: "O leite frio é ruim para quem já está sentindo frio." Quanto ao restante da alimentação, "a cozinheira pode sugerir algo que de modo geral lhes desperte o apetite, mas devem ser oferecidas porções pequenas por vez, pois, embora o estômago esteja vazio, o paladar rechaça a ideia de comida, e a digestão não funciona muito bem." Aconselha-se à pessoa enlutada que não gaste muito com os trajes de luto: a maioria das peças existentes, incluindo sapatos de couro e chapéus de palha, pode ser "perfeitamente tingida". Os gastos com o funeral devem ser calculados com antecedência. Um amigo deve ficar encarregado da casa durante a cerimônia. Esse amigo deve se certificar de que a casa seja arejada, de que os móveis deslocados sejam colocados de volta em seus devidos lugares e de que a lareira esteja acesa para receber a família. "Também é desejável preparar um pouco de chá ou sopa", aconselha a sra. Post, "que devem ser-lhes servidos assim que retornarem, sem necessidade de perguntar-lhes se gostariam de comer ou beber algo. Aqueles que estão passando por um sofrimento muito grande não desejam comida, mas se ela lhes é entregue, a aceitam de forma mecânica, e algo quente para iniciar a digestão e estimular a circulação comprometida é do que eles mais precisam."

Havia algo fascinante naquela sabedoria prática, na compreensão instintiva dos transtornos fisiológicos ("alterações nos sistemas endócrino, imunológico, nervoso autônomo e cardiovascular") que mais tarde seriam catalogadas pelo Institute of Medicine. Não tenho certeza do que me fez consultar o livro de etiqueta de Emily Post, publicado em 1922 (talvez a memória de minha mãe, que me dera um exemplar para ler quando ficamos presos durante uma nevasca em uma casa alugada em Colorado Springs durante a Segunda Guerra Mundial), mas, quando o encontrei na internet, ele me atraiu de imediato. Enquanto o lia, me lembrei de como tinha sentido frio no New York Hospital na noite em que John morreu. A princípio, pensei que estava com frio porque era 30 de dezembro e eu tinha ido para o hospital com as pernas desprotegidas, de chinelos, usando apenas a saia de linho e o suéter que tinha vestido para jantar. Essa era uma das razões, mas eu também estava com frio porque nada em meu corpo estava funcionando como deveria.

A sra. Post teria entendido. Ela escreveu em um mundo no qual o luto ainda era reconhecido, permitido, não ocultado. Phillipe Ariès, em uma série de palestras que deu na Johns Hopkins University em 1973 e que depois foram publicadas em *História da morte no Ocidente: da Idade Média aos nossos tempos*, observou que, por volta de 1930, se produziu na maior parte dos países ocidentais e particularmente nos Estados Unidos uma revolução nas atitudes aceitáveis em relação à morte. "A morte", escreveu ele, "tão onipresente no passado que era algo familiar, foi apagada, desapareceu. Acabou por se tornar algo vergonhoso e proibido." O antropólogo social inglês Geoffrey Gorer, em seu livro de 1965, *Death, Grief, and Mourning*, descreveu essa rejeição do sofrimento público como resultado da pressão crescente imposta por um novo "dever ético de se divertir", um novo "imperativo de não fazer nada que possa diminuir o contentamento alheio". Tanto na Inglaterra quanto nos Estados Unidos, observou, a tendência contemporânea era "tratar o luto como uma autoindulgência mórbida e dedicar uma admiração social aos enlutados que ocultavam tão completamente seu sofrimento que ninguém suspeitaria o que de fato acontecera".

Uma das maneiras de ocultar a dor pela perda de um ser amado deriva do fato de que a morte ocorre agora, na maior parte das vezes, longe dos olhos do público. De acordo com a tradição da época em que a sra. Post escrevia, o ato de morrer ainda não havia sido profissionalizado. Não costumava envolver hospitais. Mulheres morriam no parto. Crianças morriam de febre. Não existia tratamento para o câncer. Na época em que ela escreveu seu livro de etiqueta, pouquíssimos lares nos Estados Unidos não tinham sido afetados pela pandemia de gripe de 1918. A morte estava bem perto, em casa. Esperava-se que o adulto médio lidasse de maneira competente, além de sensível, com suas consequências. Quando alguém morre, me ensinaram desde pequena na Califórnia, assamos um presunto e o levamos para os parentes do morto em sua casa. Vamos ao funeral. Se a família for católica, também rezamos o rosário, mas não se deve lamentar, gemer nem demandar a atenção da família de nenhuma maneira. No fim, o livro de etiqueta de Emily Post publicado em 1922 se mostrou mais preciso na compreensão dessa outra maneira de morrer e tão prescritivo em sua abordagem da dor da perda quanto qualquer outra coisa que li. Nunca vou me esquecer da sabedoria intuitiva de um amigo que, todos os dias durante aquelas primeiras semanas, me levou um pote de canja de arroz com cebolinha e gengibre comprado em Chinatown. Canja eu conseguia comer. Canja era a única coisa que eu conseguia comer.

5

Há OUTRA COISA que aprendi quando pequena na Califórnia. Quando alguém parece estar morto, você se certifica colocando um espelho diante de sua boca e de seu nariz. Se o espelho não condensar, a pessoa está morta. Foi minha mãe quem me ensinou isso. Eu me esqueci de fazê-lo na noite em que John morreu. *Ele está respirando?*, perguntou o atendente ao telefone. *Venham agora*, respondi.

30 de dezembro de 2003.

Tínhamos visitado Quintana na UTI do sexto andar do Beth Israel North.

Tínhamos observado os números no respirador.

Tínhamos segurado sua mão inchada.

"Ainda não sabemos como vai evoluir," dissera um dos médicos da UTI.

Tínhamos voltado para casa. Na UTI o horário de visitas ia até as dezenove horas, então devia passar das vinte.

Tínhamos debatido sobre jantar fora ou comer em casa.

Eu disse que ia acender a lareira e que podíamos comer em casa.

Não me lembro do que planejávamos comer. Só me lembro de jogar fora o que quer que houvesse nos pratos e na cozinha quando voltei do New York Hospital.

Você se senta para jantar, e a vida que você conhecia termina.

Em uma batida do coração.

Ou na ausência de uma.

Nos últimos meses, tenho passado bastante tempo tentando lembrar e, quando não consigo, procurando reconstruir a exata sequência de acontecimentos que precederam e que se seguiram ao que aconteceu naquela noite. "Em algum momento entre quinta-feira, 18 de dezembro de 2003, e segunda-feira, 22 de dezembro de 2003", começava uma dessas reconstituições, "Q se queixou de 'se sentir muito mal', com sintomas de gripe, achando que estava com a garganta inflamada." Essa reconstituição, precedida dos nomes e números de telefone dos médicos com quem tinha falado, não apenas no Beth Israel mas em outros hospitais em Nova York e em outras cidades, continuava. A questão principal era: na segunda-feira, 22 de dezembro, ela chegou com uma febre de 39,5°C ao Beth Israel North, que na época tinha a fama de ter a emergência menos lotada do Upper East Side de Manhattan, e foi diagnosticada com uma gripe. Recomendaram que ela fizesse repouso e ingerisse muito líquido. Não foi feito nenhum exame de raios X do pulmão. Entre 23 e 24 de dezembro, sua febre flutuou entre 39 e 39,5°C. Estava fraca demais para jantar conosco na véspera de Natal. Ela e Gerry cancelaram os planos de passar a noite de Natal e os dias seguintes com a família dele em Massachusetts.

No dia de Natal, uma quinta-feira, ela ligou pela manhã e nos disse que estava com dificuldade de respirar. Sua respiração parecia fraca e difícil. Gerry a levou novamente para a emergência do Beth Israel North, onde radiografias mostraram uma densa infiltração de pus e bactérias no lobo inferior do pulmão direito. Sua frequência cardíaca estava alta, acima de 150 batimentos por minuto. Também estava extremamente desidratada. A contagem de leucócitos era quase zero. Deram-lhe Ativan, em seguida Demerol. Sua pneumonia, disseram a Gerry na emergência, era "grau 5 em uma escala que ia até 10, o que se costumava chamar de 'pneumonia andante'". Não era "nada grave" (isso pode ter sido o que eu queria ouvir), mas, ainda assim, decidiram interná-la na UTI do sexto andar, para que fosse monitorada.

Quando deu entrada na UTI, naquela noite, ela estava agitada. Logo foi sedada e entubada. Sua temperatura passava de 40°C. Cem por cento do oxigênio estava sendo fornecido por um respirador; àquela altura, ela não era mais capaz de respirar por conta própria. No fim da manhã seguinte, sexta-feira, 26 de dezembro, descobriu-se que a pneumonia agora estava nos dois pulmões e que, apesar da administração massiva de azitromicina, gentamicina, clindamicina e vancomicina, a doença se agravava. Também se descobriu — ou se presumiu, já que sua pressão arterial caía — que ela estava entrando, ou tinha entrado, em choque séptico. Pediram que Gerry autorizasse mais dois procedimentos invasivos; primeiro, a introdução de um cateter arterial e, depois, de outro acesso profundo que ficaria próximo ao coração, para lidar com o problema da pressão arterial. Deram-lhe fenilefrina para manter sua pressão acima de nove por seis.

No sábado, 27 de dezembro, fomos informados de que ela receberia o que, na época, ainda era uma nova droga da farmacêutica Eli Lilly, o Xigris, que continuaria sendo administrado por 96 horas, ou quatro dias. "Isso vai custar 20 mil dólares", disse a enfermeira quando trocou a bolsa de medicamentos intravenosos. Eu observei enquanto o líquido gotejava em um dos muitos tubos que mantinham Quintana viva. Procurei Xigris na internet. Um site dizia que a taxa de sobrevivência para pacientes de sepse tratados com Xigris era de 69 por cento, em comparação com os 56 por cento de pacientes não tratados com a medicação. Outro site, um boletim informativo da área de negócios, dizia que o "gigante adormecido" da Eli Lilly, o Xigris, "estava lutando para superar seus problemas no mercado da sepse". Isso pareceu de alguma maneira um prisma positivo através do qual encarar a situação: Quintana não era mais a filha que, cinco meses antes, era uma noiva delirantemente feliz e cuja chance de sobreviver nos dias seguintes à administração do medicamento era algo entre 56 e 69 por cento. Ela agora era o "mercado da sepse", o que sugeria que ainda era possível fazer uma escolha em termos de consumo. No domingo, 28 de dezembro, seria possível imaginar que o "gigante adormecido" do mercado da sepse estava começando a fazer efeito: a pneumonia não tinha melhorado, mas a fenilefrina que mantinha sua pressão arterial foi suspensa e a pressão se manteve a 9,5 por quatro. Na segunda-

-feira, 29 de dezembro, o assistente de um dos médicos me disse que, depois de passar o fim de semana sem vê-la, ele a examinara naquela manhã e tinha considerado o estado de Quintana "encorajador". Perguntei o que exatamente ele achou encorajador a respeito de sua condição quando a viu naquela manhã. "Ela ainda estava viva", respondeu a assistente.

Na terça-feira, 30 de dezembro, às 13h02 (de acordo com o computador), escrevi as seguintes anotações em preparação para a conversa com mais um especialista para quem eu havia telefonado:

Alguma sequela neurológica, por causa da privação de oxigênio? Por causa da febre alta? Por causa de uma possível meningite?

Vários médicos mencionaram "não saber se há uma massa ou bloqueio subjacente". Estão falando sobre um possível tumor maligno?

A presunção é de que a infecção seja bacteriana — no entanto nenhuma bactéria apareceu nas culturas. Há alguma maneira de saber se era viral?

Como uma "gripe" evolui para uma infecção generalizada?

A última pergunta — *Como uma "gripe" evolui para uma infecção generalizada?* — foi acrescentada por John. No dia 30 de dezembro, ele parecia obcecado com essa questão. Tinha feito essa pergunta muitas vezes nos três ou quatro dias anteriores, a médicos, assistentes e enfermeiras e, por fim, no auge do desespero, a mim, mas ainda não tinha recebido uma resposta que considerasse satisfatória. Alguma coisa naquilo tudo parecia desafiar sua compreensão. Alguma coisa naquilo tudo desafiava também a minha compreensão, mas eu fingia ser capaz de lidar com isso. Vejamos:

Ela fora internada na UTI na noite de Natal.

Ela estava no hospital, repetíamos um para o outro na noite de Natal. Está sendo bem cuidada. Está segura onde está.

Todo o resto parecia normal.

Tínhamos acendido a lareira. Ela estava segura.

Cinco dias depois, tudo do lado de fora da UTI no sexto andar do Beth Israel North ainda parecia normal: essa era a parte que nenhum de nós (embora apenas John admitisse) conseguia ignorar, um caso típico de manter o foco no céu azul e claro de onde cai o avião. Na sala de estar do apartamento ainda estavam os presentes que John e eu tínhamos aberto na noite de Natal. Em cima e debaixo de uma mesa no antigo quarto de Quintana ainda estavam os presentes que ela não pudera abrir porque estava na UTI. Sobre a mesa na sala de jantar ainda estava a pilha de pratos e talheres que tínhamos usado. Na fatura do American Express que chegara naquele dia, ainda estavam os gastos da viagem que tínhamos feito a Paris em novembro. Quando partimos para Paris, Quintana e Gerry estavam planejando seu primeiro jantar do Dia de Ação de Graças. Tinham convidado a mãe, a irmã e o cunhado dele.

Usariam a louça que ganharam de casamento. Quintana tinha passado em nossa casa para pegar as taças de cristal rubi que foram de minha mãe. No Dia de Ação de Graças, ligamos para eles de Paris. Estavam assando um peru e fazendo purê de nabos.

"E então... não mais."

Como uma "gripe" evolui para uma infecção generalizada?

Vejo essa pergunta agora como o equivalente a um grito de raiva desesperado, outra maneira de dizer *Como isso pode ter acontecido quando tudo estava normal?*. No cubículo em que Quintana estava na UTI, os dedos e o rosto inchados por causa dos fluidos, os lábios rachados pela febre em torno do tubo do respirador, os cabelos grudados e ensopados de suor, os números no respirador indicavam que agora ela estava recebendo apenas 45 por cento do oxigênio através do tubo. John beijou seu rosto inchado. "Mais do que um dia mais", sussurrou ele, outra parte de nossos códigos familiares. A referência era a uma fala do filme *Robin e Marian*, de Richard Lester. "Eu te amo mais do que apenas um dia mais", Audrey Hepburn, como Lady Marian, diz a Sean Connery, no papel de Robin Hood, depois que ambos tomam a poção fatal. John sussurrara essa frase todas as vezes que deixara a UTI. Enquanto saíamos, conseguimos convencer um dos médicos a falar conosco. Perguntamos se a diminuição do oxigênio administrado significava que ela estava melhorando.

Houve uma pausa.

Foi então que o médico da UTI disse: "Ainda não sabemos como isso vai evoluir."

Vai evoluir para melhor, eu me lembro de pensar.

O médico da UTI ainda estava falando. "A verdade é que ela está muito doente", disse ele.

Reconheci aquilo como uma maneira codificada de dizer que ela provavelmente ia morrer, mas persisti: *O quadro vai evoluir para melhor. Vai evoluir para melhor porque não há alternativa.*

Creio em Cat.

Creio em Deus.

"Eu te amo mais do que apenas um dia mais", disse Quintana três meses depois, toda vestida de preto, na St. John the Divine. "Como você costumava me dizer."

Nós nos casamos na tarde do dia 30 de janeiro de 1964, uma quinta-feira, na Missão Católica de San Juan Bautista, no condado de San Benito, na Califórnia. John vestia um terno azul-marinho da Chipp. Eu usava um vestido curto de seda branca que tinha comprado na Ransohoff's, em São Francisco, no dia que John Kennedy foi assassinado. Quando era 12h30 em Dallas, ainda era de manhã na Califórnia, e minha mãe e eu só ficamos sabendo sobre o que tinha acontecido quando saíamos da Ransohoff's para almoçar e cruzamos com uma pessoa conhecida que vinha de Sacramento. Como havia apenas trinta ou quarenta pessoas na San Juan Bautista na tarde do casamento (a mãe de John, seu irmão mais novo, Stephen, seu irmão Nick, a mulher dele, Lenny, e a filha deles de 4 anos, meu pai e minha mãe, meu irmão e minha cunhada, meu avô, minha tia e alguns primos e amigos da família de Sacramento, o colega de quarto de John em Princeton, talvez mais algumas pessoas), minha intenção era que fosse uma cerimônia sem a entrada da noiva, sem "procissão", apenas ficar de pé diante do altar e me casar. "Que se adiantem os noivos", eu me lembro de Nick dizendo para me ajudar: Nick sabia sobre o plano, mas o organista não, e, de repente, me vi de braços dados com meu pai, caminhando até o altar e chorando por trás de meus óculos escuros. Quando a cerimônia chegou ao fim, fomos de carro até o chalé em Pebble Beach. Havia coisinhas para comer, champanhe, um terraço que se debruçava sobre o Pacífico, tudo muito simples. Para efeito de lua de mel, passamos alguns dias em um bangalô no San Ysidro Ranch, em Montecito, e em seguida, entediados, tomamos um voo e nos hospedamos no Beverly Hills Hotel.

Eu tinha pensado em nosso casamento no dia do casamento de Quintana.

O casamento dela também foi simples. Ela usou um vestido branco longo, com véu e sapatos caros, mas o cabelo estava preso em uma trança grossa que caía por suas costas, como quando era criança.

Nós nos sentamos no lugar do coro na catedral de St. John the Divine. O pai a levou até o altar. No altar estava Susan, sua melhor amiga da Califórnia desde que tinham 3 anos. No altar também estava sua melhor amiga de Nova York. E sua prima Hannah. Também estava sua prima Kelley, da Califórnia, lendo um trecho da cerimônia. Lá estavam os filhos da enteada de Gerry, lendo outro trecho. Lá estavam as crianças menores, meninas com coroas de flores e de pés descalços. Havia sanduíches de agrião, champanhe, limonada, guardanapos da cor de pêssego para combinar com o sorvete que foi servido junto com o bolo, e pavões no gramado. Ela tirou os sapatos caros e desprendeu o véu. "Foi tudo perfeito, não foi?", disse no fim da noite. O pai dela e eu concordamos. Ela e Gerry pegaram um avião para a ilha de Saint Barth. John e eu fomos para Honolulu.

26 de julho de 2003.

Quatro meses e 29 dias antes de ela ser internada na UTI do Beth Israel North.

Cinco meses e quatro dias antes de o pai dela morrer.

Nas primeiras semanas depois da morte de John, à noite, quando uma exaustão protetora tomava conta de mim e eu deixava os parentes e amigos conversando na sala de estar, na sala de jantar e na cozinha do apartamento, atravessava o corredor até o quarto e fechava a porta, evitava olhar para as fotos do início de nosso casamento penduradas nas paredes. Na verdade, não olhava para elas, mas não conseguia evitá-las apenas deixando de olhar: eu as conhecia de cor. Havia uma fotografia de John e eu na locação de *Os viciados*. Foi nosso primeiro filme. Fomos com ele para o Festival de Cannes. Foi a primeira vez que estive na Europa, e viajamos de primeira classe por cortesia da Twentieth Century-Fox. Embarquei no avião descalça, uma coisa da época, 1971. Havia uma foto de John, Quintana e eu na fonte de Bethesda, no Central Park, em 1970, John e Quintana, então com 4 anos, tomando sorvete. Passamos todo aquele outono em Nova York trabalhando em um filme com Otto Preminger. "Ela está no escritório do sr. Preminger, que não tem cabelo", disse Quintana ao pediatra quando ele lhe perguntou onde estava sua mãe. Havia uma foto de John, Quintana e eu no deque da casa que tivemos em Malibu na década de 1970. Essa foto foi publicada na revista *People*. Quando a vi, me dei conta de que Quintana tinha se aproveitado do intervalo na sessão de fotos daquele dia para passar lápis de olho pela primeira vez. Havia uma foto que Barry Farrell tirara de sua esposa, Marcia, sentada em uma cadeira de *rattan* na casa de Malibu e segurando no colo sua filhinha ainda bebê, Joan Didion Farrell.

Barry Farrell estava morto.

Havia uma fotografia de Katharine Ross, tirada por Conrad Hall durante o período em Malibu em que ela ensinou Quintana a nadar jogando uma concha taitiana na piscina do vizinho e dizendo que a concha seria dela se conseguisse pegá-la. Era uma época, início dos anos 1970, em que Katharine e Conrad, Jean e Brian Moore, John e eu trocávamos plantas, cachorros, receitas e favores e jantávamos na casa uns dos outros algumas vezes por semana.

Lembro que todos fazíamos suflês. A irmã de Conrad, Nancy, que morava em Papeete, ensinara Katharine a prepará-los sem esforço, e Katharine ensinara a mim e a Jean. O truque era uma abordagem menos rígida do que se costumava recomendar. Katharine também nos trazia da viagem favas de baunilha taitiana, em feixes grossos amarrados com ráfia.

Fizemos *crème caramel* com a baunilha durante um tempo. Mas ninguém gostava de caramelizar o açúcar.

Falamos em alugar a casa de Lee Grant em Zuma Beach e abrir um restaurante, que se chamaria "Casa do Lee Grant". Katharine, Jean e eu nos revezaríamos na cozinha, e John, Brian e Conrad se revezariam no salão. Esse plano de sobrevivência em Malibu foi abandonado porque Katharine e Conrad se separaram, Brian estava terminando um romance e John e eu fomos para Honolulu reescrever o roteiro de um filme. Trabalhamos muito em Honolulu. Como ninguém em Nova York conseguia se entender com a diferença de fuso horário, podíamos trabalhar o dia todo sem que o telefone tocasse. Houve um momento nos anos 1970 em que quis comprar uma casa lá, e levei John para vermos várias, mas ele parecia encarar a perspectiva de viver em Honolulu como uma possibilidade menos animadora do que permanecer no Kahala.

Conrad Hall estava morto.

Brian Moore estava morto.

Em uma de nossas primeiras casas, uma grande casa caindo aos pedaços na Franklin Avenue, em Hollywood, que alugamos por 450 dólares ao mês com seus muitos quartos e varandas, seus abacateiros e uma quadra de tênis de saibro coberta de mato, havia um poema emoldurado que Earl McGrath escrevera na ocasião de nosso aniversário de 5 anos de casados:

Esta é a história de John Greg'ry Dunne
Que, com sua mulher, a sra. Didion Do,
Está oficialmente casado e com uma prole de um,
Morando na Franklin Avenue.

Vivem com sua adorável filha Quintana,
Também conhecida como Didion D
Didion Dunne
e Didion Do.
E Quintana ou Didion D.
Uma linda família de Dunne Dunne Dunne
(Quero dizer, uma família de três)
Vivendo no estilo chamado de antigo
Na Franklin Avenue.

As pessoas que perderam um ser amado recentemente têm um certo olhar, reconhecível talvez apenas por aqueles que viram esse mesmo olhar no próprio rosto. É um olhar de extrema vulnerabilidade, desamparo, transparência. É o olhar de alguém que sai do consultório do oftalmologista direto para a luz do dia com as pupilas dilatadas, ou de alguém que usa óculos e subitamente é obrigado a tirá-los. As pessoas que perderam alguém se sentem desamparadas porque se consideram invisíveis. Eu me senti invisível por um período, incorpórea. Parecia ter atravessado um desses rios lendários que separam os vivos dos mortos, entrando em um lugar onde só podia ser vista por aqueles que também tinham perdido alguém. Entendi pela primeira vez o poder da imagem dos rios, o Estige, o Lete, o barqueiro com sua capa e sua vara. Entendi pela primeira vez o sentido da prática do *sati*. As viúvas não se atiravam na balsa em chamas por causa do sofrimento. A balsa em chamas era, na verdade, uma representação precisa do lugar para onde seu sofrimento as levara (não a família, não a comunidade, não as tradições, *o sofrimento*). Na noite em que John morreu faltavam 31 dias para nosso aniversário de 40 anos de casados. A essa altura você já deve ter percebido que a "dura e doce sabedoria" nos dois últimos versos de "Rose Aylmer" me escapa por completo.

Eu queria mais do que uma noite de lembranças e suspiros.

Eu queria gritar.

Eu queria que ele voltasse.

6

MUITOS ANOS ATRÁS, andando pela 57th Street entre a 6th e a 5th Avenues, em um dia claro de outono, eu tive o que, naquele momento, acreditei ser uma premonição da morte. Foi um efeito luminoso: um rápido reflexo da luz do sol, folhas amarelas caindo (mas de onde? Havia árvores na 57th Street?), uma chuva de ouro, reluzente, muito rápida, uma queda de luz. Depois procurei esse mesmo efeito em dias claros semelhantes, mas nunca mais o vivenciei. Eu me perguntei então se teria sido uma convulsão, uma espécie de derrame. Alguns anos antes disso, na Califórnia, eu tinha sonhado com uma imagem que, ao acordar, sabia que era a morte: a imagem de uma ilha gelada, seu contorno acidentado visto do ar perto de uma das ilhas do canal da Mancha, exceto pelo fato de que, nesse caso, tratava-se de uma ilha toda de gelo, translúcida, de um branco-azulado, cintilando ao sol. Diferente dos sonhos de quem espera a morte, inexoravelmente sentenciado a morrer, mas ainda não morto, nesse sonho não havia medo. Tanto a ilha de gelo quanto a chuva de luz na 57th Street pareciam, ao contrário, transcendentes, mais bonitas do que eu era capaz de descrever; no entanto, em minha mente não havia dúvida de que o que eu vira era a morte.

Se aquelas era minhas imagens da morte, por que eu continuava incapaz de aceitar o fato de que ele tinha morrido? Seria porque não conseguia entendê-la como algo que acontecera com ele? Seria porque ainda a entendia como algo que acontecera comigo?

A vida muda rapidamente.

A vida muda em um instante.

Você se senta para jantar, e a vida que você conhecia termina.

A questão da autopiedade.

Observe quão cedo a questão da autopiedade entra em cena.

Certa manhã, na primavera depois do que aconteceu, peguei o *The New York Times* e passei direto da primeira página para as palavras cruzadas, uma maneira de começar o dia que tinha se tornado padrão naqueles meses, a forma como comecei a ler, ou mais precisamente a não ler, o jornal. Nunca antes tivera paciência de resolver as palavras cruzadas, mas agora imaginava que essa prática pudesse estimular o retorno a uma atividade cognitiva construtiva. A pista que primeiro chamou minha atenção naquela manhã foi a 6 vertical: "Às vezes você se sente..." Eu vi de imediato a resposta óbvia, uma resposta satisfatoriamente longa que ocuparia muitos espaços e provaria minha competência por um dia: "Uma criança sem mãe."

Crianças sem mãe sofrem muito...

Crianças sem mãe sofrem demais...

Mas não.

A 6 vertical tinha apenas sete letras.

Abandonei as palavras cruzadas (a impaciência não se deixa vencer facilmente) e, no dia seguinte, olhei a resposta. A resposta correta para a 6 vertical era: "semrumo". "Semrumo"? Sem rumo? Às vezes, você se sente *sem rumo*? Quanto tempo eu tinha ficado ausente do mundo das respostas normais?

Veja, a minha resposta instantânea ("uma criança sem mãe") era um lamento de autopiedade.

Essa falha de compreensão não seria fácil de corrigir.

Ávido é o ímpeto da chama bruxuleante!
Onde estão meu pai e Eleanor?
Não onde estão agora, mortos há sete anos,
Mas o que eles eram então?

Não mais? Não mais?
DELMORE SCHWARTZ,
"Calmly We Walk Through This April's Day"

Ele achava que estava morrendo. Falou isso para mim várias vezes. Eu não dei importância. Ele estava deprimido. Tinha terminado de escrever um romance, *Nothing Lost*, e caíra no limbo prolongado e previsível entre a entrega do manuscrito e sua publicação. Passava também por uma crise igualmente previsível de confiança em relação ao livro que estava começando a escrever, uma reflexão sobre o significado do patriotismo que ainda não tinha ganhado *momentum*. Além disso, passara a maior parte do ano lidando com uma série de enervantes questões de saúde. Seu ritmo cardíaco estava entrando com cada vez mais frequência em fibrilação atrial. Um ritmo cardíaco normal podia ser restabelecido por meio de uma cardioversão, procedimento não invasivo durante o qual ele era submetido a anestesia geral por alguns minutos enquanto seu coração recebia um choque elétrico, mas uma ligeira mudança no estado físico, como pegar uma gripe ou fazer uma longa viagem de avião, poderia alterar o ritmo mais uma vez. O último procedimento do gênero, em abril de 2003, exigira não apenas um, mas dois choques. A frequência cada vez maior com que a cardioversão se tornara necessária indicava que não era mais uma opção eficaz. Em junho, depois de uma série de consultas, ele se submeteu a uma intervenção mais radical, uma ablação por radiofrequência do nódulo atrioventricular, seguida da implantação do marca-passo Medtronic Kappa 900 SR.

Durante o verão, impelido pela alegria com o casamento de Quintana e pelo aparente sucesso do marca-passo, seu humor pareceu melhorar. No outono, piorou outra vez. Lembro-me de uma discussão a respeito de irmos ou não a Paris em novembro. Eu não queria ir. Disse que tínhamos coisas demais para fazer e pouco dinheiro. Ele respondeu que tinha a sensação de que, se não fosse em novembro, nunca mais veria Paris. Interpretei isso como chantagem. "Tudo bem", respondi, "então vamos." Ele se levantou da mesa. Não dissemos nada de significativo um ao outro durante dois dias.

No fim das contas, fomos a Paris em novembro.

Eu lhes digo que não viverei dois dias, disse Gawain.

Algumas semanas atrás, no Conselho de Relações Exteriores, na 68th com a Park Avenue, reparei em uma pessoa à minha frente lendo o *International Herald Tribune*. Mais um exemplo de como eu desviava para o caminho incorreto: não estou mais no Conselho de Relações Exteriores, na 68th com a Park, mas sentada diante de John, tomando café no salão do hotel Bristol em Paris, em novembro de 2003. Nós dois estamos lendo exemplares do *International Herald Tribune*, oferecidos pelo hotel, com pequenos cartões grampeados informando a previsão do tempo para o dia. O cartão para cada uma daquelas manhãs de novembro em Paris exibia o desenho de um guarda-chuva. Caminhamos sob chuva até o Jardin de Luxembourg e nos refugiamos da tempestade na igreja de St. Sulpice. Havia uma missa sendo celebrada. John comungou. Pegamos um resfriado por causa do mau tempo no Jardin du Ranelagh. No voo de volta para Nova York, o cachecol de John e meu vestido de jersey cheiravam a lã molhada. Durante a decolagem, ele segurou minha mão até o avião começar a se estabilizar.

Ele sempre fazia isso.

Para onde foi esse gesto?

Em uma revista, vejo um anúncio da Microsoft que mostra a plataforma da estação de metrô parisiense Port de Lilas. "Apenas os episcopalianos 'tomam' a comunhão", ele me corrigira uma última vez quando saímos da St. Sulpice. Havia quarenta anos que me corrigia sobre esse pormenor. Os episcopalianos "tomam", os católicos "recebem". Era, ele explicava todas as vezes, uma diferença de atitude.

Não onde estão agora, mortos há sete anos,
Mas o que eles eram então?

A última cardioversão: abril de 2003. A que exigira dois choques. Eu me lembro de um médico explicando por que o procedimento precisava ser feito sob anestesia. "Caso contrário, os pacientes saltariam da mesa", disse ele. Dia 30 de dezembro de 2003: o salto súbito quando os paramédicos usaram o desfibrilador no chão da sala de estar. Teria sido o pulsar do coração ou apenas eletricidade?

Na noite em que morreu, ou na noite anterior, no táxi entre o Beth Israel North e nosso apartamento, John falou diversas coisas que, pela primeira vez, me impediram de negar prontamente que seu estado de espírito fosse depressão, que era apenas uma fase normal na vida de qualquer escritor.

Nada do que fizera, disse ele, tinha valor.

Tentei não dar importância.

Talvez aquilo não fosse normal, falei a mim mesma, mas tampouco era normal o estado em que tínhamos acabado de deixar Quintana.

Ele disse que seu romance não tinha valor algum.

Talvez isso não fosse normal, falei a mim mesma, mas tampouco era normal para um pai perceber que não poder fazer nada por sua filha.

Ele disse que seu artigo recém-publicado no *The New York Times*, uma resenha sobre a biografia de Natalie Wood escrita por Gavin Lambert, não tinha nenhum valor.

Talvez isso não fosse normal, mas o que tinha sido normal nos últimos dias?

Ele disse que não sabia o que estava fazendo em Nova York. "Por que perdi tempo com um artigo sobre Natalie Wood", disse ele.

Não era uma pergunta.

"Você estava certa sobre o Havaí", falou em seguida.

Talvez estivesse querendo dizer que eu estava certa um ou dois dias antes, quando sugeri que, quando Quintana melhorasse (esse era nosso código para "se ela sobreviver"), alugássemos uma casa na praia em Kailua para que ela pudesse se restabelecer lá. Ou talvez ele quisesse dizer que eu estava certa nos anos 1970, quando quis comprar uma casa em Honolulu. Na época preferi pensar que se tratava da primeira opção, mas o uso do pretérito imperfeito sugeria que ele estava se referindo à última. Ele falou essas coisas, no táxi entre o Beth Israel North e nosso apartamento, três horas antes de morrer ou 27 horas antes de morrer. Tento lembrar e não consigo.

7

POR QUE EU insistia em assinalar o que era e o que não era normal quando nada daquilo era normal?

Deixe-me tentar estabelecer uma cronologia.

Quintana deu entrada na UTI do Beth Israel North no dia 25 de dezembro de 2003.

John morreu no dia 30 de dezembro de 2003.

Contei a Quintana que ele estava morto no fim da manhã de 15 de janeiro de 2004, na UTI do Beth Israel North, depois que os médicos conseguiram retirar o tubo do respirador e reduzir a sedação de forma que ela fosse gradualmente acordando. Eu não tinha planejado contar a ela naquele dia. Os médicos disseram que ela despertaria apenas de forma intermitente, primeiro de maneira parcial, e, durante vários dias, seria capaz de absorver somente uma quantidade limitada de informação. Se ela acordasse e me visse, ia perguntar onde estava o pai. Gerry, Tony e eu tínhamos discutido bastante essa questão. Decidíramos que apenas Gerry deveria estar presente quando ela começasse a acordar. Assim ela poderia se concentrar nele, em sua vida juntos. Talvez a pergunta sobre o pai não viesse logo. Eu poderia vê-la mais tarde, alguns dias depois. E então contaria. Ela estaria mais forte.

Como havíamos planejado, Gerry estava ao seu lado quando ela acordou. Como não havíamos planejado, uma enfermeira disse a ela que sua mãe estava do lado de fora, no corredor.

"E quando ela vai entrar?", Quintana quis saber.

Eu entrei.

"Cadê o papai?", sussurrou ela ao me ver.

Depois de três semanas entubada, suas cordas vocais estavam inflamadas, e até mesmo seus sussurros eram quase inaudíveis. Contei-lhe o que tinha acontecido. Frisei o histórico de problemas cardíacos, o longo período de sorte que enfim terminara, o caráter aparentemente súbito, mas inevitável do que tinha acontecido. Ela chorou. Gerry e eu a abraçamos. Ela voltou a adormecer.

"Como está o papai?", sussurrou quando fui vê-la naquela noite.

Comecei outra vez. O ataque cardíaco. O histórico médico. O caráter aparentemente súbito do ocorrido.

"Mas como ele está *agora*?", sussurrou ela, esforçando-se para se fazer ouvir.

Ela havia absorvido a parte sobre o acontecimento súbito, mas não o resultado final.

Contei a ela de novo. No fim das contas, eu teria que lhe contar ainda uma terceira vez, em outra UTI, dessa vez no hospital da UCLA.

A cronologia.

No dia 19 de janeiro de 2004, ela foi transferida da UTI do sexto andar do Beth Israel North para um quarto no décimo segundo andar. No dia 22 de janeiro de 2004, ainda fraca demais para ficar em pé ou se sentar sem ajuda e ainda com febre por causa de uma infecção hospitalar contraída na UTI, ela teve alta do Beth Israel North. Gerry e eu a instalamos na cama de seu antigo quarto em meu apartamento. Gerry saiu para comprar os remédios receitados. Ela se levantou para pegar uma coberta e caiu. Eu não consegui levantá-la e tive que chamar alguém do prédio para me ajudar a colocá-la de volta na cama.

Na manhã do dia 25 de janeiro de 2004, ela acordou, ainda em meu apartamento, com fortes dores no peito e febre alta. Nesse mesmo dia, deu entrada no Milstein Hospital da Columbia-Presbyterian, depois que se chegou a um diagnóstico de embolia pulmonar na emergência. Devido ao tempo prolongado que passara imóvel no Beth Israel (eu sei agora, mas não sabia na época), este era um desdobramento completamente previsível, que poderia ter sido diagnosticado antes da alta do Beth Israel por meio do mesmo exame de imagem que foi feito três dias depois na emergência do Presbyterian. Após ser internada no Milstein, os médicos averiguaram a possibilidade de mais coágulos terem se formado em suas pernas. Deram-lhe anticoagulantes para prevenir a formação de novos coágulos e, ao mesmo tempo, permitir que os já existentes se dissolvessem.

No dia 3 de fevereiro de 2004, ela recebeu alta do Presbyterian, ainda sob o efeito de anticoagulantes. Começou a fazer fisioterapia para recuperar a força e a mobilidade. Com a ajuda de Tony e Nick, eu e ela planejamos o funeral de John. A missa foi às dezesseis horas de uma terça-feira,

23 de março de 2004, na catedral de St. John the Divine, onde, às quinze, na presença da família, as cinzas de John foram colocadas, como planejado, na capela ao lado do altar principal. Depois da cerimônia, Nick tinha organizado uma recepção no Union Club. Em seguida, trinta ou quarenta membros da família voltaram conosco para nosso apartamento. Acendi a lareira. Bebemos. Jantamos. Quintana, embora ainda frágil, ficou de pé com seu vestido preto na catedral e riu com os primos durante o jantar. Na manhã de 25 de março, um dia e meio depois, ela e Gerry iam recomeçar a vida tomando um voo para a Califórnia e caminhando na praia em Malibu por alguns dias. Eu os havia encorajado. Queria ver as cores de Malibu em seu rosto e em seus cabelos novamente.

No dia seguinte, 24 de março, sozinha no apartamento, as obrigações de enterrar meu marido e de cuidar de nossa filha durante sua doença enfim cumpridas, guardei a louça e me permiti pensar pela primeira vez no que teria que fazer para recomeçar minha vida. Liguei para Quintana para desejar boa viagem. Ela ia pegar um avião bem cedo na manhã seguinte. Soava ansiosa. Ela sempre ficava ansiosa antes de uma viagem. Decisões como escolher o que levar na mala pareciam desencadear, desde sua infância, uma espécie de pavor da falta de controle. "Você acha que vou ficar bem na Califórnia?", perguntou ela. Eu respondi que sim. Ela definitivamente ia ficar bem na Califórnia. Ir para a Califórnia seria, na verdade, o primeiro dia do resto de sua vida. Ao desligar, me dei conta de que arrumar meu escritório poderia ser um passo na direção do primeiro dia do resto da minha. Foi o que comecei a fazer. Durante a maior parte do dia seguinte, quinta-feira, 25 de março, continuei a arrumar. Houve momentos durante aquele dia silencioso em que me peguei pensando que possivelmente tinha iniciado uma nova fase. Em janeiro, de uma janela no Beth Israel North, eu observara blocos de gelo se formando no rio East. Em fevereiro, de uma janela no Columbia-Presbyterian, eu observara os blocos de gelo se desfazerem no Hudson. Agora em março, o gelo havia desaparecido, eu fizera o que tinha de fazer por John, e Quintana ia voltar da Califórnia restabelecida. Conforme a tarde avançava (seu avião já devia ter pousado, ela já devia ter pegado um carro e devia estar dirigindo pela Pacific Coast Highway), eu a imaginava já caminhando na praia com Gerry, à suave luz do sol de março em Malibu. Digitei o código postal de Malibu, 90265, no AccuWeather. Estava fazendo sol, não me recordo da temperatura mínima e máxima, mas lembro que me pareceram satisfatórias, um belo dia em Malibu.

Haveria mostarda selvagem nas colinas.

Ela poderia levá-lo para ver as orquídeas em Zuma Canyon.

Ela poderia levá-lo para comer peixe frito no condado de Ventura.

Ela tinha planejado levá-lo para almoçar um dia no Jean Moore's, estaria nos lugares onde havia passado a infância. Poderia mostrar a ele os lugares onde apanhávamos mexilhões para o almoço de Páscoa. Poderia mostrar a ele onde ficavam as borboletas, onde aprendera a jogar tênis, onde aprendera com os salva-vidas de Zuma Beach a nadar para fora da arrebentação. Na mesa em meu escritório havia uma fotografia tirada quando ela tinha 7 ou 8 anos, seus cabelos longos e loiros por causa do sol de Malibu. Colado na parte de trás do porta-retratos, havia um bilhete escrito com giz de cera, deixado um dia na bancada da cozinha em Malibu: *Mamãe, quando você abriu a porta, fui eu que saí correndo. Bj bj bj Q.*

Às 19h10 daquela noite eu estava trocando de roupa para ir jantar com amigos que moravam no prédio. Digo que foi às "19h10" porque foi nessa hora que o telefone tocou. Era Tony. Ele disse que estava indo para minha casa. Eu registrei a hora porque tinha marcado de descer às 19h30, mas a urgência de Tony era tanta que eu não disse nada. Sua mulher, Rosemary Breslin, tinha passado os últimos quinze anos lutando contra uma doença no sangue não diagnosticada. Pouco tempo depois da morte de John, ela havia começado um tratamento experimental que a deixara cada vez mais debilitada e requeria internações intermitentes no Memorial Sloan-Kettering. Eu sabia que o longo dia na catedral e mais tarde com a família tinha sido exaustivo para ela. Interrompi Tony quando ele estava prestes a desligar. Perguntei se Rosemary havia voltado para o hospital. Ele disse que não era Rosemary. Era Quintana, que, enquanto nos falávamos, às 19h10, horário de Nova York, 16h10 na Califórnia, estava sendo submetida a uma cirurgia neurológica de emergência no centro médico da UCLA em Los Angeles.

8

Eles tinham descido do avião.

Pegaram a mala que compartilhavam.

Gerry estava carregando a mala até o ônibus da empresa de aluguel de carros, atravessando a faixa na parte de fora do setor de embarque, à frente de Quintana. Ele olhou para trás. Até hoje não tenho ideia do que o fez olhar para trás. Nunca pensei em perguntar. Imaginei que tivesse sido mais uma dessas situações em que você ouve uma pessoa falando e, de repente, não ouve mais, então olha. *A vida muda em um instante. Um instante normal.* Ela estava caída de costas no chão. Uma ambulância foi chamada. Ela foi levada para o hospital da UCLA. De acordo com Gerry, estava acordada e lúcida na ambulância. Foi apenas na emergência que começou a ter convulsões e perder a coerência. Uma equipe de cirurgia foi chamada. Fizeram uma tomografia computadorizada. Quando a levaram para a cirurgia, uma de suas pupilas, muito dilatada, tinha deixado de reagir. A outra deixou de reagir enquanto entravam com ela no centro cirúrgico. Eu ouviria isso mais de uma vez, em todos os casos como uma evidência da gravidade de seu estado e da natureza crítica da intervenção: "Uma das pupilas não reagia e a outra deixou de reagir enquanto a levávamos para o centro cirúrgico."

Eu não sabia da gravidade do que estavam me dizendo quando ouvi isso pela primeira vez. Na segunda vez eu sabia. Serwin B. Nuland, no livro *Como morremos*, descreveu ter visto, quando era estudante do terceiro ano de medicina, um paciente com problemas cardíacos cujas "pupilas não reagiam à luz, estavam amplamente dilatadas e escuras, posição que significa morte cerebral, e obviamente nunca mais reagiriam à luz". No mesmo livro, o dr. Nuland descreve as tentativas frustradas da equipe de reanimar um paciente que tinha sofrido uma parada cardíaca no hospital: "Os jovens homens e mulheres perseverantes veem as pupilas do paciente deixarem de reagir à luz e em seguida se dilatarem, formando grandes círculos fixos de uma escuridão impenetrável. Relutantes, eles interrompem seus esforços [...] A sala está repleta dos destroços da batalha perdida." Terá sido isso que a equipe de paramédicos do New York-Presbyterian viu nos olhos de John, no chão de nossa sala de estar, em 30 de dezembro de 2003? Terá sido isso que os neurocirurgiões do hospital da UCLA viram nos olhos de Quintana em 25 de março de 2004? "Uma escuridão impenetrável"? "Morte cerebral"? Foi o que pensaram? Olho para um relatório impresso daquele dia na UTI da UCLA e ainda me sinto desfalecer:

A tomografia revela um hematoma subdural no hemisfério direito, com evidências de hemorragia severa. Uma hemorragia ativa não pode ser descartada. O hematoma provoca pressão no hemisfério direito, hérnia subfalcina e hérnia de úncus inicial, com deslocamento de dezenove milímetros da linha média, da direita para a esquerda, no nível do terceiro ventrículo. O ventrículo lateral direito está apagado e o ventrículo lateral esquerdo apresenta aprisionamento inicial. Há compressão de moderada a assinalável no mesencéfalo; cisterna perimesencefálica apagada. Hematomas subdurais na foice cerebral e na tenda do cerebelo são observados. Um pequeno sangramento perenquimal, provavelmente ocasionado por contusão, é observado na borda direita inferolateral do lobo frontal. As amídalas cerebelares estão no nível do forâmem magno. Não há fratura craniana. Há um grande hematoma no escalpo parietal direito.

Dia 25 de março de 2004, 19h10 em Nova York.

Ela tinha voltado do lugar onde os médicos diziam "Ainda não sabemos como vai evoluir" e agora estava lá novamente.

Até onde eu sabia, as coisas já tinham evoluído para pior.

Eles podiam ter dito a Gerry e ele podia estar tentando absorver a notícia antes de me ligar.

Ela podia já estar a caminho do necrotério do hospital.

Sozinha. Em uma maca. Com alguém empurrando.

Eu já tinha imaginado essa cena com John.

Tony chegou.

Ele repetiu o que me dissera ao telefone. Tinha recebido uma ligação de Gerry, que estava no hospital da

UCLA. Quintana estava em cirurgia. Poderíamos falar com Gerry pelo celular no saguão do hospital, que, naquele momento, também servia como área de espera do centro cirúrgico (a UCLA estava construindo um novo hospital, pois aquele estava operando acima da capacidade e já estava ultrapassado).

Ligamos para Gerry.

Um dos cirurgiões havia acabado de aparecer para dar notícias. A equipe cirúrgica estava agora "bastante confiante" de que Quintana "sairia da mesa", embora não pudessem prever em que condições.

Eu me lembro de me dar conta de que isso devia ser uma melhoria em seu estado: o boletim anterior do centro cirúrgico fora de que a equipe "não podia dar nenhuma garantia de que ela sairia da mesa".

Eu me lembro de tentar, sem sucesso, compreender a expressão "sair da mesa". Eles queriam dizer "com vida"? Será que tinham dito "com vida", mas Gerry não conseguira dizer? *O que quer que aconteça*, eu me lembro de pensar, *ela vai, sem dúvida, "sair da mesa"*.

Àquela altura deviam ser 16h30 em Los Angeles, 19h30 em Nova York. Eu não sabia há quanto tempo ela estava em cirurgia. Uma vez que, de acordo com o boletim da UTI, a tomografia tinha sido realizada às "15h06" em Los Angeles, agora sei que ela provavelmente estava em cirurgia havia apenas meia hora. Peguei um guia da OAG para ver que companhia ainda tinha voos para Los Angeles naquela noite. Havia um voo da Delta saindo às 21h40 do aeroporto Kennedy. Eu estava prestes a ligar para a Delta quando Tony disse que não achava uma boa ideia eu estar em pleno voo durante a cirurgia.

Eu me lembro do silêncio.

Eu me lembro de deixar de lado o guia da OAG.

Liguei para Tim Rutten, em Los Angeles, e pedi que ele fosse até o hospital para fazer companhia a Gerry. Liguei para nosso contador em Los Angeles, Gil Frank, cuja filha havia passado por uma neurocirurgia de emergência no hospital da UCLA alguns meses antes, e ele também disse que ia para o hospital.

Foi o mais próximo que consegui de estar lá.

Arrumei a mesa da cozinha, e Tony e eu beliscamos o *coq au vin* que sobrara do jantar para a família depois do funeral na St. John the Divine. Rosemary chegou. Ficamos sentados à mesa da cozinha e tentamos arquitetar o que chamamos de "plano". Usávamos expressões como "as contingências", delicadamente, como se algum de nós três soubesse quais eram as "contingências". Eu me lembro de ligar para Earl McGrath para saber se podia usar sua casa em Los Angeles. Lembro-me de usar as palavras "caso seja necessário", outra construção delicada. Lembro-me dele me interrompendo na mesma hora: ia para Los Angeles no dia seguinte no avião de um amigo, e eu iria com eles. Por volta de meia-noite, Gerry ligou e disse que a cirurgia terminara. Agora iam fazer outra tomografia para ver se havia outras hemorragias que não tinham sido detectadas antes. Se houvesse, teriam que operá-la outra vez. Caso não houvesse, fariam mais um procedimento, a colocação de uma tela na veia cava para impedir que coágulos chegassem ao coração. Por volta das quatro da manhã, horário de Nova York, Gerry ligou novamente para dizer que a tomografia não havia indicado outras hemorragias e que a tela fora colocada na veia cava. Ele me contou o que os cirurgiões tinham dito sobre a operação em si. Tomei nota:

"Sangramento arterial, artéria jorrando sangue, como uma fonte, sangue por todo o centro cirúrgico, sem fator de coagulação."

"Cérebro pressionado para o lado esquerdo."

Quando voltei de Los Angeles para Nova York no fim da tarde de 30 de abril, encontrei essas anotações em uma lista de compras ao lado do telefone da cozinha. Sei agora que o termo técnico para "cérebro pressionado para o lado esquerdo" é "deslocamento da linha média", um fator preditivo importante para prognósticos ruins, mas, mesmo àquela altura, eu já sabia que a situação não era boa. O que eu achava que precisava naquele dia de março cinco semanas antes era de água Evian, melado, caldo de galinha e farelo de linhaça.

Leia, aprenda, investigue, recorra à literatura.

Informação é controle.

Na manhã após a cirurgia, antes de ir para o aeroporto de Teterboro para pegar o avião, pesquisei na internet "pupilas dilatadas e sem reação". Descobri que isso era chamado de "midríase". Li o resumo de um estudo realizado por pesquisadores do Departamento de Neurocirurgia da Clínica Universitária de Bonn. O estudo acompanhou 99 pacientes que tinham apresentado ou desenvolvido uma ou duas midríases. A taxa de mortalidade global era de 75 por cento. Dos 25 por cento que ainda estavam vivos 24 meses depois, quinze por cento tiveram o que a escala de Glasgow define como um "desfecho desfavorável", e dez por cento um "desfecho favorável". Calculei as porcentagens: dos 99 pacientes, 74 tinham morrido. Dos 25 que sobreviveram, ao fim de dois anos, cinco estavam em estado vegetativo, dez estavam com comprometimentos severos, oito eram declarados independentes e dois tinham se recuperado sem sequelas. Também aprendi que pupilas dilatadas e sem reação indicavam uma lesão ou compressão do terceiro nervo craniano e da parte superior do tronco encefálico. "Terceiro nervo" e "tronco encefálico" eram palavras que eu ia ouvir com mais frequência do que gostaria nas semanas seguintes.

9

VOCÊ ESTÁ A SALVO, eu me lembro de sussurrar para Quintana na primeira vez que a vi na UTI do hospital da UCLA. *Eu estou aqui. Você vai ficar bem.* Metade de sua cabeça tinha sido raspada por causa da cirurgia. Eu podia ver a longa incisão e os grampos de metal que a mantinham fechada. Mais uma vez ela estava respirando com ajuda de um tubo endotraqueal. *Eu estou aqui. Está tudo bem.*

"Quando você tem que ir embora?", ela me perguntou no dia em que finalmente conseguiu falar. Pronunciou as palavras com dificuldade, o rosto contraído.

Eu respondi que só ia embora quando pudéssemos ir juntas.

Seu rosto relaxou. Ela voltou a dormir.

Durante aquelas semanas, ocorreu-me que, desde o dia em que a levamos do St. John's Hospital, em Santa Monica, para nossa casa, essa tinha sido a principal promessa que fizera a ela. Eu não ia embora. Eu ia cuidar dela. Ela ia ficar bem. Também me dei conta de que essa era uma promessa que não poderia cumprir. Não poderia sempre cuidar dela. Não poderia nunca deixá-la. Ela não era mais uma criança. Era adulta. Há coisas que acontecem na vida que uma mãe não pode prevenir nem remediar. A não ser que uma dessas coisas tirasse sua vida prematuramente, como quase tinha acontecido no Beth Israel e ainda podia acontecer no hospital da UCLA, eu morreria antes dela. Lembrei-me de conversas, no escritório de nossos advogados, durante as quais fiquei perturbada com as palavras "anteceder na morte". Essas palavras não podiam se aplicar a nós. Depois de cada uma dessas conversas, eu via as palavras "desastre mútuo" sob uma nova e favorável luz. No entanto, certa vez, em um voo turbulento entre Honolulu e Los Angeles, tinha imaginado um desses desastres mútuos e o rejeitara. O avião ia cair. Milagrosamente, ela e eu sobreviveríamos ao acidente, ficando à deriva no Pacífico, agarradas aos destroços. O dilema era: como eu estava menstruada e o sangue atrairia os tubarões, seria obrigada a abandoná-la, nadar para longe, deixá-la sozinha.

Será que seria capaz?

Todos os pais sentiam a mesma coisa?

Pouco antes de sua morte, aos 90 anos, minha mãe me disse que estava pronta para morrer, mas não conseguia. "Você e Jim precisam de mim", disse ela. Na época, meu irmão e eu já tínhamos mais de 60 anos.

Você está a salvo.

Eu estou aqui.

Uma coisa que reparei no decorrer daquelas semanas na UCLA foi que muitas das pessoas que eu conhecia, em Nova York, na Califórnia ou em outros lugares, compartilhavam um hábito mental que costuma ser atribuído aos muito bem-sucedidos: elas acreditavam inteiramente em sua capacidade de gestão. Acreditavam no poder dos números de telefone que tinham ao alcance dos dedos, o médico certo, o grande doador, uma pessoa que podia facilitar um favor junto ao departamento de Estado ou de Justiça. A capacidade de gestão dessas pessoas era de fato prodigiosa. O poder de seus números de telefone era realmente incomparável. Eu mesma tinha, durante a maior parte de minha vida, compartilhado dessa crença fundamental em minha capacidade de controlar os acontecimentos. Se minha mãe era subitamente hospitalizada em Túnis, eu conseguia que o cônsul americano levasse para ela seus jornais em inglês e a colocasse em um voo da Air France para encontrar meu irmão em Paris. Se Quintana ficava presa no aeroporto de Nice por causa de um voo cancelado, eu conseguia que alguém na British Airlines a colocasse em um avião para ir encontrar seu primo em Londres. No entanto, como nasci temerosa, tinha compreendido, de alguma forma, que alguns acontecimentos na vida iam permanecer além da minha capacidade de geri-los e controlá-los. Algumas coisas iam simplesmente acontecer. Aquela era uma dessas coisas. *Você se senta para jantar, e a vida que você conhecia termina.*

Muitas das pessoas com quem falei naqueles primeiros dias enquanto Quintana estava inconsciente no hospital da UCLA não pareciam ter essa percepção. Seu instinto inicial era que aquele acontecimento podia ser gerido. A fim de geri-lo, precisavam apenas de informação. Precisavam apenas saber como aquilo tinha acontecido. Precisavam de respostas. Precisavam do "prognóstico".

Eu não tinha respostas.

Eu não tinha prognósticos.

Eu não sabia como aquilo tinha acontecido.

Havia duas possibilidades, ambas, acabei por concluir, irrelevantes. Uma das possibilidades era que ela tivesse caído e que o trauma tivesse causado a hemorragia no cérebro, um risco por causa dos anticoagulantes que ela estava tomando para prevenir embolias. A segunda possibilidade era que a hemorragia cerebral tivesse ocorrido antes da queda e que, na realidade, a tivesse causado. Pessoas que tomam anticoagulantes têm sangramentos. Ficam com hematomas ao menor toque. O nível de anticoagulante no sangue, que é medido por um número chamado RNI (razão normalizada internacional), é difícil de controlar. O sangue tem que ser analisado a cada semana e, em alguns casos, a cada dois dias. Ajustes ínfimos e complicados precisam ser feitos na dosagem. O RNI ideal para Quintana era, com uma tolerância de um décimo para mais ou para menos, 2,2. No dia em que tomou o voo para Los Angeles, seu RNI estava acima de 4, nível no qual sangramentos espontâneos podem ocorrer. Quando cheguei a Los Angeles e falei com o cirurgião-chefe, ele disse que estava "cem por cento certo" de que o trauma causara o sangramento. Outros médicos com quem falei não tinham tanta certeza. Um deles sugeriu que o próprio voo poderia ter causado mudanças suficientes na pressurização para precipitar uma hemorragia.

Eu me lembro de pressionar o cirurgião sobre essa possibilidade, tentando (mais uma vez) gerir a situação, obter respostas. Eu falava com ele ao telefone celular no pátio da cafeteria do hospital da UCLA. A cafeteria se chamava "Café Med". Era minha primeira visita ao Café Med e vi, pela primeira vez, seu frequentador mais assíduo, um homem baixo e calvo (que supus ser um paciente do Instituto de Neuropsiquiatria que tinha permissão para perambular por ali), cuja compulsão era seguir mulheres pela cafeteria, alternando entre cuspir e balbuciar imprecações raivosas sobre como eram nojentas, desprezíveis, um lixo que não valia nada. Naquela manhã em particular, o homem baixinho e calvo tinha me seguido até o pátio e estava difícil ouvir o que o cirurgião dizia. "Foi o traumatismo, havia um vaso rompido, nós vimos", pensei ter ouvido. Isso não parecia resolver por completo a questão — um vaso sanguíneo rompido não descartava categoricamente a possibilidade de que a ruptura tivesse antecedido e causado a queda —, mas ali, no pátio do Café Med, como o homem baixinho e careca cuspindo em meu sapato, me dei conta de que a resposta para aquela pergunta não fazia diferença. Tinha acontecido. Esse era o novo fato diante de mim.

Durante a ligação do cirurgião, que aconteceu no primeiro dia inteiro que passei em Los Angeles, eu me lembro de ser informada sobre diversas outras coisas.

Lembro-me de ser informada de que ela podia passar dias ou semanas em coma.

Lembro-me de ser informada de que seriam necessários no mínimo três dias para que se pudesse começar a avaliar quais eram as condições de seu cérebro. O cirurgião estava "otimista", mas não era possível fazer nenhuma previsão. Questões muito mais prementes ainda podiam surgir nos próximos três, quatro ou mais dias.

Ela podia pegar uma infecção.

Podia desenvolver uma pneumonia, podia ter uma embolia.

Podia desenvolver novos inchaços, o que exigiria uma nova operação.

Depois de desligar, entrei novamente na cafeteria, onde Gerry estava tomando um café com Susan Traylor e as filhas de meu irmão, Kelley e Lori. Eu lembro de me perguntar se deveria falar sobre as questões mais prementes que o cirurgião tinha mencionado. Vi, ao olhar para seus rostos, que não havia razão para não fazê-lo: todos os quatro estavam no hospital antes de eu chegar a Los Angeles. Todos os quatro já tinham ficado sabendo das questões mais prementes.

Nas 24 noites, entre dezembro e janeiro, que Quintana passou na UTI do sexto andar do Beth Israel North, mantive na mesinha ao lado da minha cama um exemplar em brochura de *Intensive Care: A Doctor's Journal*, do dr. John F. Murray, que, de 1966 a 1989, foi chefe da Unidade de Tratamento Intensivo e Pulmonar da Faculdade de Medicina da Universidade da Califórnia em São Francisco. O livro descreve, dia a dia, um período de quatro semanas na UTI do San Francisco General Hospital, onde o dr. Murray era, na época, o médico responsável por todos os pacientes, residentes, estagiários e estudantes de medicina. Eu tinha lido aquele relato diversas vezes. Aprendera muitas coisas que se mostraram úteis na gestão de minhas interações diárias com os médicos da UTI do Beth Israel. Aprendi, por exemplo, que muitas vezes era difícil identificar a hora certa de retirar o tubo endotraqueal de um paciente. Aprendi que um obstáculo comum à remoção do tubo era o edema tantas vezes observado no tratamento intensivo. Aprendi que esse edema era menos o resultado de uma patologia subjacente do que do excesso na administração de fluidos intravenosos, uma falha em identificar a diferença entre hidratação e super-hidratação, um erro provocado pela cautela. Aprendi que muitos residentes cometiam o mesmo erro de cautela quando se tratava da extubação em si: sua tendência, como o resultado era incerto, era adiar o procedimento mais do que o necessário.

Eu havia registrado essas lições. Tinha feito uso delas: uma pergunta hesitante aqui, um desejo expressado ali. Eu tinha "me perguntado" se ela não estaria "encharcada". ("É claro que não sei, só sei que ela parece inchada.") Usara deliberadamente a palavra "encharcada", porque tinha notado um enrijecimento quando usei a palavra "edema". Também tinha "me perguntado" se ela não respiraria melhor se estivesse menos "encharcada". ("É claro que não sou médica, só me parece lógico.") Eu tinha "me perguntado" mais uma vez se a administração monitorada de um diurético não possibilitaria a extubação. ("É claro que é uma solução caseira, mas se eu me sentisse como ela parece estar, tomaria um diurético.") Com *Intensive Care* como meu guia, isso parecia simples, intuitivo. Havia uma maneira de saber se você tinha feito progressos. Você sabia se tinha feito progresso quando um médico a quem fez uma ou outra sugestão apresentava, um dia depois, a ideia como se fosse dele.

Agora era diferente. Uma frase irônica tinha me ocorrido durante a disputa de opiniões em relação ao edema no Beth Israel North: *Não é tão difícil quanto uma neurocirurgia.* Mas agora se tratava, de fato, de uma neurocirurgia. Quando aqueles médicos do hospital da UCLA falavam de "parietal" e "temporal", eu não sabia a que parte do cérebro estavam se referindo, muito menos o que queriam dizer. "Frontal direito" eu achava que compreendia. "Occipital" supus que sugerisse "olho", mas apenas por causa da lógica equivocada de que a palavra começava com "oc", como "ocular". Fui até a livraria do centro médico da UCLA. Comprei um livro cuja descrição na capa era "uma síntese concisa da neuroanatomia e de suas implicações clínicas e funcionais", além de uma "excelente revisão para o exame para obter a licença de médico". Esse livro era de autoria do dr. Stephen G. Waxman, chefe do departamento de neurologia em Yale-New Haven, e se chamava *Neuroanatomia clínica*. Percorri com sucesso alguns dos apêndices, por exemplo, o "Apêndice A: O exame neurológico", mas quando comecei a ler o texto em si, a única coisa em que consegui pensar foi em uma viagem à Indonésia durante a qual fiquei desorientada por causa de minha incapacidade de compreender a gramática da língua indonésia, o idioma oficial usado nas placas de rua, nos letreiros das lojas e nos outdoors. Perguntei a um funcionário da embaixada americana como diferenciar os verbos dos substantivos. Era uma língua, dissera ele, na qual a mesma palavra podia ser um verbo ou um substantivo. *Neuroanatomia clínica* parecia ser mais um caso no qual eu seria incapaz de compreender a gramática. Coloquei-o sobre a mesinha de cabeceira no Beverly Wilshire Hotel, onde permaneceu pelas cinco semanas seguintes.

Em uma análise mais atenta de *Neuroanatomia clínica*, digamos, em uma manhã antes de o *The New York Times* chegar com suas palavras cruzadas sedativas, até mesmo o "Apêndice A: O exame neurológico" me pareceu mais opaco. Originalmente, eu tinha identificado as óbvias instruções familiares (perguntar ao paciente o nome do presidente, pedir que contasse de cem a zero de sete em sete), mas, conforme os dias passavam, eu parecia concentrada em uma narrativa misteriosa, identificada no Apêndice A como "a história do menino dourado", que podia ser usada para testar a memória e a compreensão do paciente. A história deveria ser contada ao paciente, sugeria o dr. Waxman, e em seguida pedia-se a ele que a recontasse com suas próprias palavras, explicando o significado. "Na coroação de um dos papas, cerca de trezentos anos atrás, um garotinho foi escolhido para representar o papel de um anjo."

Assim começava a história do "menino dourado".

Até aí, tudo parecia claro o bastante, apesar dos detalhes que poderiam causar confusão (trezentos anos atrás? Representar o papel de um anjo?) para alguém que tivesse acabado de sair de um coma.

A história continuava: "Para que sua aparência fosse a mais magnífica possível, ele foi coberto da cabeça aos pés com uma camada de folhas de ouro. O menino ficou doente, e, embora todo o possível tivesse sido feito para que se recuperasse, a não ser remover a cobertura de ouro fatal, ele morreu em questão de horas."

Qual era o "significado" da "história do menino dourado"? Teria a ver com a falibilidade dos papas? Com a falibilidade das figuras de autoridade em geral? Com a falibilidade específica (observe que "todo o possível foi feito para que ele se recuperasse") da medicina? Qual seria o objetivo de contar essa história a um paciente imobilizado em uma UTI neurológica em um importante hospital universitário? Que lição podia ser tirada? Será que achavam que, como se tratava de uma "história", ela podia ser contada sem que tivesse consequências? Houve uma manhã em que a "história do menino dourado" pareceu representar, em sua profunda impenetrabilidade e em seu aparente desprezo pela sensibilidade do paciente, toda a situação que eu enfrentava. Voltei à livraria do centro médico da UCLA, com o intuito de procurar outras fontes de elucidação, mas não havia menção à história do menino dourado em nenhum dos primeiros livros que peguei. Em vez de continuar procurando, e uma vez que a temperatura máxima à tarde em Los Angeles estava na casa dos 30ºC e eu tinha ido para lá apenas com as roupas de fim de inverno que estava usando em Nova York, comprei várias batas e calças médicas de algodão azul. O isolamento que eu estava vivendo na época era tão profundo que não me ocorreu de imediato que a mãe de uma paciente aparecer no hospital vestindo batas e calças médicas de algodão azul só poderia ser encarado como uma suspeita violação dos limites.

10

A PRIMEIRA VEZ QUE reparei no que mais adiante aprendi ser o "efeito vórtice" foi em janeiro, enquanto observava os blocos de gelo no rio East de uma janela no Beth Israel North. Na junção entre a parede e o teto do quarto de onde eu observava os blocos de gelo, havia uma faixa de papel de parede com padrão de rosas, um toque de Dorothy Draper, vestígio, suponho, de uma época em que o que era então o Beth Israel North tinha sido o Doctor's Hospital. Eu nunca tinha estado no Doctor's Hospital, mas, quando tinha 20 e poucos anos e trabalhava para a *Vogue*, ele figurava em muitas conversas. Era o hospital preferido pelas editoras da revista para partos descomplicados e para "descansar", uma espécie de versão médica do spa Maine Chance.

Essa parecia uma boa linha de memória.

Parecia melhor do que pensar sobre a razão por que eu estava no Beth Israel North.

Continuei a me aventurar.

O Doctor's Hospital foi onde X fez o aborto que foi pago pelo gabinete da promotoria pública. "X" era uma mulher com quem eu tinha trabalhado na *Vogue*. Nuvens sedutoras de fumaça de cigarro, Channel nº 5 e desastre iminente a seguiam pelos escritórios da Condé Nast, que na época ficavam no edifício Graybar. Em uma única manhã, enquanto eu estava tentando escrever uma seção particularmente desafiadora para a *Vogue* intitulada "As pessoas estão falando", ela descobrira que precisava fazer um aborto e que seu nome tinha surgido nos arquivos de uma investigação do gabinete da promotoria sobre uma rede de prostituição. Parecera bem-disposta ao receber aquelas duas notícias (que para mim eram) devastadoras. Um acordo foi feito. Ela concordou em testemunhar sobre ter sido abordada pela rede de prostituição, e, em troca, o gabinete da promotoria concordou em providenciar uma curetagem no Doctor's Hospital, um favor considerável em uma época em que fazer um aborto significava marcar uma consulta clandestina e potencialmente letal com alguém cujo primeiro instinto em uma crise seria desaparecer rápido.

A rede de prostituição, o aborto arranjado e os anos que passei montando a seção "As pessoas estão falando" ainda me pareciam uma boa linha de pensamento.

Eu me lembro de ter usado esse incidente em meu segundo romance, *Play It As It Lays*. A protagonista, uma ex-modelo chamada Maria, tinha feito um aborto recentemente, o que a atormentava.

Certa vez, muito tempo antes, Maria tinha passado uma semana trabalhando em Ocho Rios com uma garota que acabara de fazer um aborto. Ela se lembrava do que a garota lhe contara sobre o aborto enquanto estavam sentadas perto de uma cachoeira, esperando o fotógrafo decidir se o sol estava alto o suficiente para começarem a fotografar. Aparentemente naquela época era difícil fazer abortos em Nova York, houvera prisões, ninguém queria se arriscar. Por fim a garota, cujo nome era Ceci Delano, perguntou a um amigo no gabinete da promotoria se ele conhecia alguém. "*Quid pro quo*", dissera ele, e mais tarde no mesmo dia ela testemunhou diante de um júri especial sobre ter sido abordada por uma rede de prostituição e se internou no Doctor's Hospital para fazer uma curetagem legal, marcada e custeada pelo gabinete da promotoria.

Parecera uma história divertida quando ela a contou, tanto naquela manhã ao lado da cachoeira quanto depois, durante o jantar, quando a repetiu para o fotógrafo, o representante da agência e a produtora de moda do cliente. Agora Maria tentava colocar o que tinha acontecido em Encino na mesma perspectiva espirituosa, mas a situação de Ceci Delano não parecia a mesma. No fim das contas, era apenas outra história de Nova York.

Parecia estar funcionando.

Eu tinha conseguido ficar quase dois minutos sem pensar em por que estava no Beth Israel North.

Continuei, pensando no período em que estava escrevendo *Play It As It Lays*. A casa caindo aos pedaços que tínhamos alugado na Hollywood Avenue. As velas no parapeito das enormes janelas da sala de estar. O capim-limão e a babosa que cresciam do lado de fora, junto à porta da cozinha. Os ratos que comiam os abacates. A varanda onde eu trabalhava, observando Quintana correr no gramado em meio à água espirrada pelo irrigador automático.

Eu me lembro de reconhecer que havia entrado em terreno mais perigoso, mas não parecia ter mais volta.

Eu escrevera aquele livro quando Quintana tinha 3 anos.

Quando Quintana tinha três anos.

Lá estava ele, o vórtice.

Quintana aos 3 anos. A noite em que ela enfiou uma semente do jardim no nariz e eu a levei para o hospital pediátrico. O pediatra especialista em sementes chegou ainda vestindo o paletó que usara para jantar. Na noite seguinte, ela enfiou outra semente no nariz, querendo repetir a interessante aventura. John e eu caminhando com ela em volta do lago no MacArthur Park. O velho saltando de um banco. "Essa menina é a cara da Ginger Rogers", dissera ele. Eu tinha terminado o romance e assinara um contrato para começar a escrever uma coluna para a *Life*, então levamos Quintana para Honolulu. A ideia da *Life* para a primeira coluna era que eu me apresentasse, "mostrasse aos leitores quem eu era". Planejava escrever de Honolulu, do Royal Hawaiian Hotel, onde costumávamos nos hospedar na suíte lanai, com preço para a imprensa, por 27 dólares a noite. Enquanto estávamos lá, estouraram as notícias sobre o massacre em May Lai, durante a Guerra do Vietnã. Pensei na primeira coluna. A mim, pareceu que, considerando essa notícia, deveria escrevê-la de Saigon. Era domingo. A *Life* tinha me dado um cartão com os números de telefone da casa dos editores e também de advogados em cidades ao redor do mundo. Peguei o cartão e liguei para meu editor, Loudon Wainwright, para dizer que estava indo para Saigon. A mulher dele atendeu. Disse que ele retornaria a ligação.

"Ele está assistindo ao jogo de futebol", disse John quando desliguei. "Vai ligar para você no intervalo."

Foi o que aconteceu. Ele disse que era para eu ficar onde estava e escrever uma crônica me apresentando, pois, no que dizia respeito a Saigon, "alguns dos rapazes já estão indo para lá". O assunto não parecia aberto a discussões. "Há um mundo em revolução lá fora e podemos colocá-la nele", dissera George Hunt quando ainda era o editor-chefe da *Life* e me ofereceu o emprego. Quando terminei *Play It As It Lays*, George Hunt já tinha se aposentado e alguns dos rapazes estavam indo para lá.

"Eu avisei", disse John. "Eu avisei como ia ser trabalhar para a *Life*. Eu não disse? Que ia ser como ser mordiscada por patos até a morte?"

Eu estava escovando os cabelos de Quintana. A cara de Ginger Rogers.

Eu me senti traída e humilhada. Deveria ter ouvido John.

Escrevi a coluna me apresentando aos leitores. Ela foi publicada. Na época pareceram oitocentas palavras nada excepcionais e no gênero determinado, mas havia, no fim do segundo parágrafo, uma frase tão fora de sintonia com o modelo de apresentação da *Life* que poderia muito bem ser fruto de uma abdução por seres alienígenas: "Em vez de pedir o divórcio, estamos aqui, nesta ilha no meio do Pacífico." Uma semana depois, fomos para Nova York. "Você sabia que ela estava escrevendo aquilo?", muitas pessoas perguntaram a John aos sussurros.

Se ele sabia que eu estava escrevendo aquilo?

Ele editou o texto.

Levou Quintana para o zoológico de Honolulu para que eu pudesse reescrevê-lo.

Levou-me de carro até o escritório da Western Union, no centro de Honolulu, para que eu pudesse enviá-lo.

No escritório da Western Union, escreveu *CORDIAIS SAUDAÇÕES, DIDION*, no fim do telegrama. Era o que sempre se colocava no fim de um telegrama, dissera ele. "Por quê?", perguntei. "Porque sim", respondeu.

Está vendo para onde aquele vórtice me sugou?

Da faixa de papel de parede estilo Dorothy Draper, no Beth Israel North, para Quintana aos 3 anos e "eu deveria ter ouvido John".

Eu lhes digo que não viverei dois dias, falou Gawain.

Voltar no tempo era o que me desviava do caminho.

Em Los Angeles, percebi imediatamente que o potencial da cidade para desencadear esse efeito vórtice só poderia ser controlado evitando qualquer local que eu pudesse associar a Quintana ou John. Isso ia exigir criatividade. John e eu moramos no condado de Los Angeles de 1964 até 1988. Entre 1988 e sua morte, passamos bastante tempo lá, em geral no mesmo hotel no qual eu agora estava hospedada, o Beverly Wilshire. Quintana nasceu no condado de Los Angeles, no St. Johns Hospital, em Santa Monica. Foi lá que ela frequentou a escola, primeiro em Malibu e mais tarde no que na época ainda era a escola para meninas Westlake (um ano depois que ela saiu, a escola se tornou mista e passou a se chamar Harvard-Westlake), em Holmby Hills.

Por razões que permanecem obscuras para mim, o Beverly Wilshire em si raramente desencadeava o efeito vórtice. Em teoria, cada um de seus corredores estava impregnado das associações que eu tentava evitar. Quando morávamos em Malibu e tínhamos reuniões na cidade, levávamos Quintana conosco e nos hospedávamos no Beverly Wilshire. Depois que nos mudamos para Nova York, quando precisávamos passar algum tempo em Los Angeles por causa de um filme, ficávamos lá, às vezes por alguns dias, às vezes por semanas. Instalávamos computadores e impressoras no quarto. Fazíamos reuniões. *E se?*, alguém estava sempre perguntando nessas reuniões. Podíamos trabalhar até às vinte ou vinte e uma horas, enviar as páginas para o diretor ou produtor com o qual estivéssemos trabalhando e, em seguida, sair para jantar em um restaurante chinês em Melrose onde não precisávamos fazer reserva. Sempre pedíamos para ficar no prédio antigo. Eu conhecia as camareiras. Conhecia as manicures. Conhecia o porteiro, que entregava a John uma garrafa de água quando ele voltava de sua caminhada matinal. Eu sabia por reflexo como usar a chave, abrir o cofre e ajustar o chuveiro: ao longo dos anos, tinha ficado em dezenas de quartos idênticos àquele no qual estava hospedada agora. A última vez que estivera em um quarto como aquele tinha sido em outubro de 2003, sozinha, durante uma temporada de divulgação, dois meses antes de John morrer. Ainda assim, quando Quintana estava no hospital da UCLA, o Beverly

Wilshire parecera o único lugar seguro para eu ficar, o lugar onde tudo permaneceria igual, o lugar onde ninguém saberia ou se referiria aos eventos de minha vida recente; o lugar onde eu ainda podia ser a pessoa que era antes de tudo aquilo acontecer.

E se?

Fora da zona franca que era o Beverly Wilshire, eu planejava minhas rotas, permanecia alerta.

Nem uma vez durante aquelas cinco semanas passei pela parte de Brentwood na qual moramos de 1978 até 1988. Quando fui a um dermatologista em Santa Monica e obras na rua me obrigaram a passar a três quarteirões de nossa casa em Brentwood, não olhei para a esquerda nem para a direita. Nem uma única vez em cinco semanas dirigi pela Pacific Coast Highway em direção a Malibu. Quando Jean Moore me ofereceu sua casa, a menos de um quilômetro de onde moramos de 1971 a 1978, inventei razões para explicar por que era essencial que eu ficasse no Beverly Wilshire. Podia evitar o caminho até o hospital da UCLA pela Sunset Boulevard. Podia evitar o cruzamento da Sunset com a Beverly Glen onde durante seis anos eu tinha virado para ir para a Westlake. Podia evitar passar por qualquer cruzamento que não pudesse prever, controlar. Podia evitar manter o rádio do carro sintonizado nas estações que costumava ouvir, evitar sintonizar a KRLA, uma estação AM que se autointitulava "o coração e a alma do *rock and roll*" e que, no início da década de 1990, ainda tocava os maiores sucessos de 1962. Podia evitar a estação cristã que recebia telefonemas dos ouvintes e para a qual sempre mudava quando os maiores sucessos de 1962 perdiam a ressonância.

Em vez disso, ouvia a NPR, um programa matinal soporífero chamado *Morning Becomes Ecletic*. Todas as manhãs, no Beverly Wilshire, pedia o mesmo café da manhã, *huevos rancheros* com um ovo mexido. Todas as manhãs, quando saía do Beverly Wilshire, fazia o mesmo caminho até o hospital da UCLA: pela Wilshire, à direita na Glendon, à esquerda na Westwood, à direita na Le Conte e à esquerda na Tiverton. Todas as manhãs via os mesmos galhardetes tremulando nos postes ao longo da Wilshire: *UCLA Medical Center — Número 1 na costa Oeste, número 3 no país.* Todas as manhãs pensava em quem seria o responsável por esse ranking. Nunca perguntei. Todas as manhãs inseria o cartão no mecanismo do portão e todas as manhãs, quando o colocava da maneira correta, a mesma voz feminina dizia: "Bem-vindo à U-C-L-A." Todas as manhãs, quando chegava a tempo, conseguia uma vaga no estacionamento ao ar livre, no andar Plaza 4, ao lado da cerca viva. No fim da tarde voltava para o Beverly Wilshire, pegava meus recados e retornava alguns. Depois da primeira semana, Gerry passou a ir e voltar de Los Angeles a Nova York, tentando trabalhar ao menos alguns dias da semana, e, quando ele estava em Nova York, eu ligava para lhe dar as notícias do dia — ou a falta delas. Eu me deitava. Assistia ao noticiário local. Ficava vinte minutos debaixo do chuveiro e saía para jantar.

Saí para jantar todas as noites quando estava em Los Angeles. Jantava com meu irmão e sua esposa sempre que eles estavam na cidade. Ia à casa de Connie Wald em Beverly Hills. Havia rosas e capuchinhas e fogo aceso em grandes lareiras, tal como houvera durante todos os anos em que John, Quintana e eu íamos visitá-la. Agora Susan Traylor estava lá. Fui à casa de Susan nas colinas de Hollywood. Eu conhecia Susan desde que ela tinha 3 anos, conhecia seu marido, Jesse, desde que ele, Susana e Quintana estavam no quarto ano na escola Point Dume, e agora eles estavam cuidando de mim. Comi em muitos restaurantes, com muitos amigos. Jantava com bastante frequência com Earl McGrath, cuja bondade intuitiva naquela situação fazia com que me perguntasse todas as manhãs o que eu ia fazer à noite e, se a resposta fosse de alguma maneira vaga, organizava um jantar despretensioso para duas, três ou quatro pessoas no Orso, no Morton's ou em sua casa na Robertson Boulevard.

Depois do jantar, eu tomava um táxi de volta para o hotel e fazia meu pedido de *huevos rancheros* para a manhã seguinte. "Um ovo mexido", a voz ao telefone se apressava em dizer. "Exatamente", eu dizia.

Planejava essas noites com o mesmo cuidado com que planejava minhas rotas de carro.

Não tinha tempo de pensar em promessas que não podia cumprir.

Você está segura. Eu estou aqui.

No profundo silêncio do programa *Morning Becomes Ecletic*, no dia seguinte, felicitava a mim mesma.

Eu poderia estar em Cleveland.

Ainda assim.

Sou incapaz de contar os dias nos quais me via dirigindo subitamente cega pelas lágrimas.

Os ventos de Santa Ana estavam de volta.

O jacarandá estava de volta.

Uma tarde, precisei encontrar Gil Frank em seu escritório na Wilshire, alguns quarteirões a leste do Beverly Wilshire. Neste território ainda inexplorado (a *terra cognita*, para aqueles propósitos, ficava a oeste na Wilshire), avistei, sem que estivesse preparada, um cinema no qual John e eu tínhamos assistido ao filme *A primeira noite de um homem* em 1967. Não houvera nenhum planejamento especial para irmos àquele cinema em 1967. Eu estava em Sacramento. John tinha indo me buscar no aeroporto em Los Angeles. Parecera demasiado tarde para comprarmos algo para preparar o jantar, mas demasiado cedo para comer em um restaurante, então fomos ver *A primeira noite de um homem* e depois jantamos no Frascati's. O Frascati's não existia mais, mas o cinema continuava lá, nem que fosse apenas para servir de armadilha aos incautos.

Havia muitas armadilhas desse tipo. Certo dia reparei em um trecho familiar de estrada litorânea em um comercial na televisão e me dei conta de que ficava em frente ao portão de nossa antiga casa na península de Palos Verdes, em Portuguese Bend, para a qual John e eu tínhamos levado Quintana depois que a pegamos no St. John's Hospital.

Ela tinha 3 dias de vida.

Tínhamos colocado o berço perto das glicínias no jardim.

Você está segura. Eu estou aqui.

Nem a casa nem o portão podiam ser vistos no comercial, mas uma súbita torrente de memórias surgiu: sair do carro na beira da estrada para abrir o portão para John entrar; ver a maré subir e fazer flutuar um carro que estava parado na praia para a filmagem de um comercial; esterilizar as mamadeiras de Quintana enquanto o galo que vivia na propriedade me seguia alegremente de janela em janela. Esse galo, batizado de "Buck" pelo dono da casa, fora abandonado na estrada, na opinião fantasiosa do proprietário, "por mexicanos em fuga". Buck tinha uma personalidade peculiar e surpreendentemente adorável, não muito diferente de um labrador. Além de Buck, a casa também vinha equipada com pavões, que eram decorativos, mas desprovidos de personalidade. Diferentes de Buck, os pavões eram preguiçosos e só se mexiam como último recurso. Ao anoitecer, berravam e tentavam voar para seus ninhos nas oliveiras, um momento aflitivo, porque com frequência acabavam caindo. Pouco antes do amanhecer, gritavam novamente. Certa madrugada, acordei com os gritos e procurei por John. Encontrei-o do lado de fora, no escuro, arrancando pêssegos ainda verdes de um pessegueiro e atirando-os aos pavões, uma abordagem tipicamente direta, ainda que contraproducente, para resolver um aborrecimento. Quando Quintana tinha um mês de vida, fomos despejados. Havia uma cláusula no contrato de aluguel que proibia expressamente crianças, mas o proprietário e sua esposa admitiram que o bebê não fora o motivo. O motivo fora uma bela adolescente chamada Jennifer que contratamos para cuidar dela. O proprietário e a esposa não queriam estranhos na propriedade ou, como disseram, "do lado de dentro dos portões", em particular belas adolescentes como Jennifer, que presumivelmente teriam namorados. Assinamos então um contrato de apenas alguns meses para alugar uma casa na cidade que pertencia à viúva de Herman Mankiewicz, Sara, que ia fazer uma viagem. Ela deixou tudo na casa exatamente como estava exceto por um objeto, o Oscar que Mankiewicz ganhou por *Cidadão Kane*. "Vocês vão dar festas, as pessoas vão ficar bêbadas e brincar com ele", disse ela ao levá-lo.

No dia da mudança, John estava viajando com a equipe do San Francisco Giants para escrever um texto sobre Willie Mays para o *Saturday Evening Post*. Peguei emprestada a caminhonete de minha cunhada, carreguei-a com nossas coisas, coloquei Quintana e Jennifer no banco de trás, me despedi de Buck, saí com o carro e deixei que o totêmico portão se fechasse sozinho atrás de mim pela última vez.

Todas aquelas lembranças, e eu não tinha nem passado por lá.

Tinha apenas visto rapidamente um comercial na televisão enquanto me vestia para ir ao hospital.

No outro dia, precisei comprar uma garrafa d'água na Rite Aid na Canon e me lembrei de que a Canon era onde ficava o restaurante Bistro. Em 1964 e 1965, enquanto morávamos na casa com o portão, a praia e os pavões, mas não tínhamos dinheiro nem para dar gorjeta aos manobristas dos restaurantes, muito menos para comer em um restaurante, John e eu costumávamos estacionar na Canon e jantar fiado no Bistro. Levamos Quintana lá no dia em que foi oficialmente adotada, quando ainda não tinha completado 7 meses de vida. Eles nos deram a mesa de Sidney Korshak no canto e colocaram o bebê conforto dela em cima da mesa, como um enfeite. Naquela manhã, no tribunal, ela era o único bebê, na verdade a única criança; todas as outras adoções naquele dia pareciam envolver adultos adotando outros adultos para obter dedução nos impostos. *"Qué bonita, qué hermosa"*, os garçons do Bistro fizeram coro quando entramos com ela para almoçar. Quando tinha 6 ou 7 anos, levamos Quintana até lá para um jantar de aniversário. Ela usava um poncho verde que comprei para ela em Bogotá. Quando estávamos prontos para ir embora, o garçom trouxe o poncho e ela a jogou de forma teatral sobre os pequenos ombros.

Qué bonita, qué hermosa, a cara de Ginger Rogers.

John e eu tínhamos ido a Bogotá, fugindo de um festival de cinema em Cartagena para tomar um voo da Avianca com destino à cidade. Um ator que estava no festival, George Montgomery, também estava no voo. Ele foi até a cabine de comando. De onde estava sentada, eu o vi conversando com a tripulação e, em seguida, se sentando no lugar do piloto.

Cutuquei John, que estava dormindo. "Estão deixando George Montgomery pilotar o avião sobre os Andes", sussurrei.

"É melhor que estar em Cartagena", disse John, e voltou a dormir.

Naquele dia, na Canon, não consegui chegar à Rite Aid.

EM ALGUM MOMENTO de junho, depois que recebeu alta do hospital da UCLA e estava na sexta do que
seriam quinze semanas como paciente do Rusk Institute
of Rehabilitation Medicine do centro médico da Universidade de Nova York, Quintana me disse que suas lembranças do hospital da UCLA e de sua chegada ao Rusk
eram "completamente turvas". Ela se lembrava de algumas
coisas no hospital da UCLA, mas não conseguia se lembrar de nada mais que acontecera depois do Natal (não se
lembrava, por exemplo, de falar sobre o pai na cerimônia
na St. John the Divine nem de, quando acordou no hospital da UCLA, saber que ele tinha morrido), sua memória
ainda estava "turva". Mais tarde ela mudou para "borra-
da", mas não era preciso: eu sabia exatamente o que ela
queria dizer. Nos corredores do departamento de neurologia da UCLA, eles falavam em "inconsistente", como em
"sua orientação está melhor, porém ainda inconsistente".
Quando tento reconstruir aquelas semanas no hospital da
UCLA, reconheço um turvamento em minha própria memória. Há determinados trechos dos dias que me parecem
muito nítidos, e outros que não. Lembro-me claramen-

te de discutir com um médico no dia em que decidiram fazer a traqueostomia. Àquela altura, ela estava entubada havia quase uma semana, dissera o médico. No hospital da UCLA eles não deixavam nenhum paciente entubado por mais de uma semana. Eu disse que ela tinha passado três semanas entubada no Beth Israel, em Nova York. O médico desviou o olhar. "A regra em Duke também era apenas uma semana", disse ele, como se achasse que mencionar o hospital da Duke University encerraria a questão. Isso só me deixou mais furiosa: *E o que me importa Duke?*, eu quis dizer, mas fiquei calada. *O que importa Duke para o hospital da UCLA? Duke fica na Carolina do Norte. A UCLA fica na Califórnia. Se quisesse a opinião de alguém da Carolina do Norte, eu ligaria para alguém da Carolina do Norte.*

O marido dela está neste exato momento em um voo a caminho de Nova York, foi o que falei. "Tenho certeza de que essa decisão pode esperar até ele aterrissar."

"Não exatamente", disse o médico. "O procedimento já está programado."

O dia em que decidiram fazer a traqueostomia foi também o dia em que desligaram o aparelho de eletroencefalograma.

"Tudo parece bem", eles diziam. "Ela vai ficar boa mais rápido depois que fizermos a traqueostomia. Já desligamos o aparelho de eletroencefalograma, talvez não tenha reparado."

Talvez eu não tivesse reparado?

Minha única filha?

Minha filha que estava inconsciente?

Talvez eu não tivesse notado quando entrei na UTI naquela manhã que suas ondas cerebrais tinham desaparecido? Que o monitor sobre sua cama estava escuro, desligado? Aquilo era apresentado como um progresso, mas não foi o que pareceu quando vi pela primeira vez. Eu me lembrava de ter lido no livro *Intensive Care* que as enfermeiras da UTI do San Francisco General desligavam os monitores quando um paciente estava próximo da morte, porque em sua experiência os membros da família ficavam mais concentrados nos monitores do que no paciente moribundo. Eu me perguntei se uma determinação semelhante teria sido feita no caso de Quintana. Mesmo depois de me assegurarem que não era o caso, percebi que eu evitava olhar para o monitor desligado. Eu tinha me acostumado a observar suas ondas cerebrais. Era uma maneira de ouvi-la falar.

Como o aparelho estava ali para ser usado, eu não via razão para que não o mantivessem ligado.

Só por precaução.

Perguntei.

Não me lembro de receber uma resposta. Foi um período em que fiz muitas perguntas que não foram respondidas. As respostas que eu recebia tendiam a ser insatisfatórias, como em "já está programado".

Todos os pacientes da unidade de neurologia eram submetidos a uma traqueostomia, me disseram várias vezes naquele dia. Todos os pacientes na unidade de neurologia tinham uma debilidade muscular que tornava a remoção do tubo respiratório problemática. Uma traqueostomia envolveria menos risco de lesões à traqueia. Olhando para a esquerda ou para a direita, em toda parte eu via traqueostomias. Uma traqueostomia podia ser feita com fentanil e um relaxante muscular, ela ficaria sob efeito de anestesia por não mais que uma hora. Uma traqueostomia não deixaria sequelas estéticas aparentes, "apenas uma cicatriz do tamanho de uma pinta", "com o tempo, talvez nenhuma cicatriz".

Eles não paravam de mencionar esta última parte, como se o principal motivo de minha resistência à traqueostomia fosse a cicatriz. Eles eram médicos, mesmo que recém-formados. Eu não. Portanto, quaisquer preocupações que eu pudesse ter deviam ser estéticas, frívolas.

Na verdade, eu não fazia ideia de por que resistia tanto à traqueostomia.

Acho agora que minha resistência vinha do mesmo fundo de superstição ao qual eu recorria desde a morte de John. Se não fizessem uma traqueostomia, na manhã seguinte ela poderia estar bem, pronta para falar, comer, ir para casa. Se não fizessem uma traqueostomia, poderíamos estar em um avião para casa antes do fim de semana. Se não quisessem que ela voasse, eu poderia levá-la comigo para o Beverly Wilshire, poderíamos fazer as unhas, ficar sentadas à beira da piscina. Se não quisessem que ela voasse, poderíamos ir de carro até Malibu, passar alguns dias restauradores com Jean Moore.

Se não fizessem uma traqueostomia.

Era loucura, mas eu estava louca.

Através das cortinas de algodão azul estampado que separavam os leitos, eu podia ouvir pessoas conversando com

maridos, pais, tios, companheiros de trabalho funcional-
mente ausentes. No leito à direita de Quintana, havia um
homem que sofrera um acidente em uma construção. Os
outros trabalhadores que estava no local no momento do
acidente tinha ido visitá-lo. Estavam ao lado de sua cama
tentando explicar o que havia acontecido. A plataforma, o
cabo, a grua, ouvi um barulho, chamei Vinny. Cada homem
dava sua versão. Cada versão era ligeiramente diferente das
outras. Era compreensível, já que cada testemunha tinha
um ponto de vista diferente, mas me lembro de ter vontade
de intervir, ajudá-los a coordenar suas histórias; pareciam
informações conflitantes demais para alguém que estava de
cama com um traumatismo craniano.

"Estava tudo correndo bem, como sempre, e, de repente,
aquela merda toda aconteceu", disse um deles.

O homem acidentado não respondeu, nem poderia,
pois tinham feito uma traqueostomia.

À esquerda de Quintana, havia um homem de Massachusetts que estava no hospital havia vários meses. Ele e a
esposa tinham ido a Los Angeles para visitar os filhos, ele
caíra de uma escada, mas parecera estar bem. Apenas outro
dia perfeitamente normal. Então começou a ter dificuldade
para falar. *Estava tudo correndo bem, como sempre, e, de repente, aquela merda toda aconteceu.* Agora ele estava com pneumonia. Os filhos iam e vinham. A esposa estava sempre lá,
falando com ele em uma voz baixa e sofrida. O marido não
esboçava resposta: ele também tinha sido submetido a uma
traqueostomia.

A traqueostomia de Quintana foi feita em uma tarde de quinta-feira, 1º de abril.

Na sexta-feira pela manhã, uma quantidade suficiente da sedação administrada por causa do tubo respiratório já tinha sido metabolizada para que ela abrisse os olhos e apertasse minha mão.

No sábado me disseram que no dia seguinte ou na segunda-feira ela seria transferida da UTI para em uma unidade de observação neurológica no sétimo andar. O sexto e o sétimo andares do hospital da UCLA eram ocupados pelo Departamento de Neurologia.

Não me lembro de quando exatamente ela foi removida, mas acho que foi alguns dias depois do previsto.

Certa tarde, depois que ela foi transferida, cruzei com a mulher de Massachusetts no pátio do Café Med.

Seu marido também tinha saído da UTI e agora estava sendo levado para o que ela chamou de "clínica de reabilitação para pacientes subagudos". Nós duas sabíamos que uma "clínica de reabilitação para pacientes subagudos" era como os planos de saúde e os responsáveis pela alta hospitalar chamavam as casas de repouso, mas não falamos nada. Ela queria que ele fosse transferido antes para a unidade de reabilitação de onze leitos no Departamento de Neuropsiquiatria do hospital da UCLA, mas ele não foi aceito. Essa foi a expressão que ela usou, "não foi aceito". Ela estava preocupada com como ia chegar à clínica de reabilitação — uma das duas com um leito disponível ficava perto do aeroporto de Los Angeles, a outra em Chinatown —, já que não dirigia. Os filhos tinham empregos,

empregos importantes, não podiam levá-la de carro para toda parte.

Ficamos sentadas ao sol.

Eu a ouvi. Ela perguntou por minha filha.

Eu não quis dizer a ela que minha filha seria removida para a unidade de reabilitação com onze leitos no Departamento de Neuropsiquiatria.

A certa altura, me dei conta de que estava tentando, como um cão pastor, conduzir os médicos, apontando um edema para o estagiário, lembrando outro de fazer um exame de urina para checar a presença de sangue no cateter, insistindo em um ultrassom com doppler para checar se a razão para a dor na perna podia ser uma embolia, repetindo obstinadamente — quando o ultrassom indicou que de fato ela estava produzindo trombos de novo — que eu queria que um especialista em coagulação fosse chamado. Escrevi o nome do especialista que queria. Ofereci-me para ligar para ele. Esses esforços não me tornavam muito bem-vista pelos jovens homens e mulheres que eram parte da equipe do hospital ("Se você quer cuidar do caso, eu me retiro", disse um deles por fim), mas faziam com que eu me sentisse menos impotente.

No hospital da UCLA, eu me lembro de aprender os nomes de muitos exames e escalas. O teste para detecção de apraxia. O teste de discriminação de dois pontos. A escala de coma de Glasgow, a escala de resultados de Glasgow. Minha compreensão do significado desses testes e dessas escalas permanecia obscura. Também me lembro de aprender, tanto no hospital da UCLA como antes, no Beth Israel e no Columbia-Presbyterian, os nomes de muitas bactérias hospitalares resistentes. No Beth Israel houvera a *Acinetobacter baumannii*, que era resistente à vancomicina. "É assim que ficamos sabendo que se trata de uma infecção hospitalar", eu me lembro de ouvir de um médico a quem fiz uma pergunta no Columbia-Presbyterian. "Se for resistente à vancomicina, é hospitalar. Porque a vancomicina só é usada em ambientes hospitalares."

No hospital da UCLA houvera a *Staphylococcus aureus* (MRSA), resistente à meticilina, mas que não deve ser confundida com a *Staphylococcus epidermidis* (MRSE), também resistente à meticilina, que foi o que os médicos de início pensaram ter encontrado na cultura de Quintana e que parecera alarmar visivelmente a equipe. "Não posso dizer por quê, mas já que está grávida, talvez seja melhor você deixar de acompanhar esse caso", uma médica alertou a outra durante a suspeita de MRSE, olhando de soslaio para mim como se eu não fosse entender.

Havia muitos outros nomes de bactérias hospitalares, mas essas eram as mais frequentes. Qualquer que fosse a bactéria que se descobrisse ser a causa da nova febre ou infecção do trato urinário, eram necessários trajes, luvas, máscaras. Os auxiliares da limpeza, que eram obrigados a vesti-los antes de entrar no quarto para esvaziar uma lixeira, soltavam suspiros profundos. A *Staphylococcus aureus* resistente à meticilina, no hospital da UCLA, era uma infecção no sangue, uma bacteriemia. Quando fiquei sabendo disso, externei minha preocupação para o médico que estava examinando Quintana, de que uma infecção no sangue poderia levar a outra sepse.

"Bem, você sabe, sepse é um termo clínico", disse o médico, em seguida continuou a examiná-la.

Eu o havia pressionado.

"Ela já está em um grau de sepse." Ele parecera confiante. "Mas continuamos com a vancomicina. E, até o momento, a pressão arterial está se mantendo."

Então. Estávamos mais uma vez esperando, aguardando para ver se sua pressão caía.

Estávamos mais uma vez esperando, alertas para a possibilidade de um choque séptico.

Em seguida, estaríamos observando os blocos de gelo no rio East.

Na verdade, o que eu observava das janelas do hospital da UCLA naquele momento era uma piscina. Não vi nem uma única vez alguém nadando ali, embora estivesse cheia, filtrada (eu podia ver o pequeno redemoinho onde a água entrava no filtro e um borbulhar onde ela reemergia), brilhando ao sol e cercada de mesas com para-sóis. Um dia, enquanto olhava para a piscina, uma lembrança nítida da ocasião em que tive a ideia de colocar velas e gardênias para flutuar na piscina nos fundos de nossa casa em Brentwood Park me ocorreu. Íamos dar uma festa. Faltava uma hora para os convidados começarem a chegar, mas eu já estava vestida quando surgiu a ideia das gardênias. Ajoelhei-me na borda, acendi as velas e usei a peneira de limpeza da piscina para guiar as velas e gardênias em um padrão aleatório. Levantei-me, satisfeita com o resultado. Guardei a peneira. Quando olhei de novo, as gardênias tinham sumido e as velas estavam apagadas, pequenos tocos de cera flutuando furiosamente em torno da entrada do filtro. Não podiam ser sugadas porque o filtro já estava entupido com as gardênias. Passei os 45 minutos seguintes, antes da festa, retirando as gardênias encharcadas do filtro, apanhando as velas e secando meu vestido com um secador de cabelo.

Até aí tudo bem.

Uma lembrança da casa em Brentwood Park que não envolvia John nem Quintana.

Infelizmente pensei em outra. Eu estava sozinha na cozinha daquela casa, era fim da tarde, início da noite, e estava dando comida ao cão da raça bouvier que tínhamos naquela época. Quintana estava em Barnard. John estava passando alguns dias no apartamento que tínhamos em Nova York. Devia ser fim de 1987, a época em que ele começou a dizer que queria passar mais tempo em Nova York. Eu tinha desencorajado essa ideia. De repente, um clarão de luz vermelha invadiu a cozinha. Fui até a janela. Havia uma ambulância diante de uma casa na Marlboro Street, visível além da árvore de eritrina e das duas pilhas de lenha em nosso jardim lateral. Era um bairro no qual muitas casas, incluindo aquela do outro lado da rua, tinham jardins laterais com pilhas de lenha. Fiquei observando a casa até a última luz se apagar e a ambulância ir embora. Na manhã seguinte, quando levei o cão para passear, um vizinho me contou o que acontecera. As pilhas de lenha não tinham impedido que a mulher na casa do outro lado da Marlboro Street ficasse viúva durante o jantar.

Liguei para John em Nova York.

A luz vermelha intermitente me pareceu, naquela ocasião, um alerta urgente.

Disse que talvez ele tivesse razão, que devíamos passar mais tempo em Nova York.

Observando a piscina vazia da janela do hospital da UCLA, senti o vórtice se aproximando, mas não consegui detê-lo. O vórtice, nesse caso, seria o insistente aspecto do tipo encontro-em-Samarra da memória. Se eu não tivesse feito aquela ligação, será que Quintana teria voltado a morar em Los Angeles depois de se formar em Barnard? Se ela estivesse morando em Los Angeles, será que o Beth Israel North e o Presbyterian teriam acontecido, será que ela estaria no hospital da UCLA agora? Se eu não tivesse interpretado de maneira equivocada a luz vermelha no fim de 1987, poderia entrar em meu carro hoje, dirigir para oeste na San Vicente e encontrar John na casa de Brentwood Park? De pé na piscina? Relendo *A escolha de Sofia*?

Será que eu teria que reviver cada um de meus erros? Se por acaso eu me lembrava da manhã em que fomos de carro para Saint Tropez, saindo da casa de Tony Richardson nas montanhas, tomamos café na rua e compramos peixe para o jantar, também teria que rememorar a noite em que me recusei a nadar à luz da lua porque o Mediterrâneo estava poluído e eu tinha um corte na perna? Se me lembrasse do galo em Portuguese Bend, também teria que me lembrar do longo caminho de volta até aquela casa após o jantar e de quantas noites, enquanto passávamos pelas refinarias na San Diego Freeway, um de nós tinha dito a coisa errada? Ou parado de falar? Ou imaginado que o outro havia parado de falar? "Cada uma das lembranças e expectativas nas quais a libido está ligada ao objeto é trazida à tona, supervalorizada, e em cada uma delas ocorre um desligamento da libido [...] É notável que esse desprazer doloroso seja considerado algo normal." Foi dessa forma que Freud explicou o que ele via como o "trabalho" da dor da perda, que, assim descrito, soava de maneira muito suspeita como meu vórtice.

Na realidade, a casa em Brentwood Park onde eu tinha visto a luz vermelha da qual pensei em fugir mudando-me para Nova York não existia mais. Fora demolida e substituída (por uma casa ligeiramente maior) um ano depois que a vendemos. Em um dia em que por acaso estávamos em Los Angeles e passamos de carro pela esquina da Chadbourne com a Marlboro e não vimos nada mais de pé a não ser a chaminé que proporcionava uma dedução nos impostos, eu me lembrei do corretor imobiliário me dizendo como seria importante para os compradores se déssemos a eles exemplares autografados dos livros que tínhamos escrito naquela casa. Nós concordamos. *Quintana and Friends*, *Dutch Shea, Jr.* e *The Red White and Blue*, de John, *Salvador*, *Democracy* e *Miami*, os meus. Quando vimos o terreno vazio do carro,

Quintana, no banco de trás, começou a chorar. Minha primeira reação foi de fúria. Eu queria os livros de volta.

Será que essa linha de pensamento corretiva seria capaz de interromper o vórtice?

Nem tanto.

Certa manhã, quando ainda estava na unidade semi--intensiva por causa da persistência da febre, que exigia um eletrocardiograma para descartar a possibilidade de uma endocardite, Quintana ergueu a mão direita pela primeira vez. Isso era importante, porque era no lado direito de seu corpo que os efeitos do traumatismo se manifestavam. Movimentos significavam que os nervos afetados continuavam vivos. Mais tarde naquele dia, ela insistiu em sair da cama e ficou emburrada como uma criança quando eu disse que não ia ajudá-la. Minha lembrança desse dia não é nem um pouco turva.

No fim de abril, ficou decidido que já tinha se passado tempo suficiente desde a cirurgia para que ela pudesse tomar um voo para Nova York. O problema até então era a pressurização e o potencial para inchaços que isso representava. Ela precisaria de uma equipe treinada para acompanhá-la. Voos comerciais estavam fora de questão. Tomamos as providências para seu transporte: uma ambulância do hospital da UCLA para o aeroporto, uma ambulância aérea para o aeroporto de Teterboro e uma ambulância de Teterboro para o hospital da Universidade de Nova York, onde ela faria reabilitação neurológica no Rusk Institute. Houve diversas conversas entre o hospital da UCLA e o Rusk. Muitos relatórios médicos foram enviados por fax. Um CD-ROM com os resultados das tomografias foi preparado. Uma data foi marcada para o que até eu estava chamando agora de "a transferência": quinta-feira, 29 de abril. No início da manhã daquela quinta-feira, quando estava prestes a fazer o check-out do Beverly Wilshire, recebi um telefonema de alguém no Colorado. O voo tinha atrasado. O avião estava em Tucson, onde aterrissara por "problemas mecânicos". Os mecânicos em Tucson iam examinar a aeronave assim que chegassem, às dez horas no horário local. No início da tarde no fuso horário do Pacífico, ficou claro que o avião não ia decolar. Haveria outro avião disponível na manhã seguinte, mas a manhã seguinte era uma sexta-feira, e o hospital da UCLA não fazia transferências às sextas-feiras. No hospital, pressionei o responsável por dar alta aos pacientes para que concordasse com a transferência na sexta-feira.

Adiar a transferência para a próxima semana acabaria confundindo Quintana e deixando-a ainda mais abatida, argumentei, segura de minha posição.

O Rusk não se opunha a recebê-la na sexta à noite, falei, sem tanta certeza.

Eu não tenho onde ficar no fim de semana, menti.

Quando o responsável pelas altas enfim concordou com a transferência na sexta-feira, Quintana estava dormindo. Sentei-me um pouco ao sol na praça do lado de fora do hospital e observei enquanto um helicóptero se aproximava para pousar no topo do edifício. Helicópteros pousavam no topo do hospital da UCLA o tempo todo, sugerindo traumatismos por todo o sul da Califórnia, cenas remotas de destruição em estradas, guindastes tombando longe dali, dias ruins se avizinhando para marido, mulher, mãe ou pai que (enquanto o helicóptero pousava e a equipe de traumatologia levava a maca para a triagem) ainda não tinham recebido a ligação. Eu me lembrei de um dia de verão em 1970 quando John e eu paramos em um sinal vermelho na St. Charles Avenue em Nova Orleans e vimos quando o motorista do carro ao lado de repente tombou sobre o volante. Sua buzina soou. Vários pedestres se aproximaram correndo. Um policial apareceu. O sinal ficou verde, nós seguimos em frente. John não conseguira tirar aquela imagem da cabeça. "Lá estava o homem", ele não parava de repetir mais tarde. "Estava vivo e, em seguida, morto, e nós estávamos observando. Nós o vimos no instante em que aconteceu. Soubemos que estava morto antes de sua família."

Apenas um dia normal.

"E então... não mais."

O dia do voo, quando chegou, pareceu se desenrolar com a inexorabilidade aleatória de um sonho. Quando liguei o noticiário no início da manhã, havia um bloqueio nas vias expressas, caminhoneiros protestando contra o preço da gasolina. Caminhões enormes estavam atravessados e abandonados na Interstate 5. Testemunhas afirmavam que os primeiros caminhões a parar tinham levado as equipes de televisão. Carros esperavam para retirar os caminhoneiros da estrada bloqueada. O vídeo que eu assistia parecia vindo direto de 1968 na França. "Evitem a Interstate 5, se puderem", aconselhavam os repórteres, alertando em seguida que, de acordo com suas "fontes" (presumivelmente as mesmas equipes de TV que tinham viajado com os caminhoneiros), os caminhões também iam bloquear outras estradas de acesso à cidade, especificamente a 710, a 60 e a 10. No decorrer normal desse tipo de problema, teria parecido improvável que conseguíssemos chegar do hospital da UCLA até o avião, mas, quando a ambulância chegou, todo aquele evento francês parecia ter se desmaterializado, essa fase do sonho esquecida.

Havia outras fases por vir. Disseram-me que o avião estaria no aeroporto de Santa Monica. A equipe da ambulância fora informada de que deveríamos ir para o aeroporto de Burbank. Alguém ligou e foi informado de que seria no aeroporto de Van Nuys. Quando chegamos lá, não havia avião à vista, apenas helicópteros. "Deve ser porque vocês vão de helicóptero", disse um dos funcionários da ambulância, claramente pronto para se livrar de nós e seguir com seu dia. "Acho que não", falei, "são 4.500 quilômetros". O funcionário da ambulância deu de ombros e sumiu. Localizamos o avião, um Cessna com espaço para os dois pilotos, os dois paramédicos, a maca à qual Quintana estava presa e, se me sentasse em um banco sobre os cilindros de oxigênio, eu. Decolamos. Voamos por um tempo. Um dos paramédicos tinha uma câmera digital e não parava de tirar fotos de algo que insistia em chamar de Grand Canyon. Eu disse a ele que provavelmente era o lago Mead, a barragem Hoover. Apontei para Las Vegas.

O paramédico continuou a tirar fotos.

Também continuou a se referir ao que via como o Grand Canyon.

Por que você tem sempre que estar certa?, eu me lembro de John dizendo.

Era uma queixa, uma acusação, parte de uma discussão. Ele nunca entendia que, em minha mente, eu nunca estava certa. Uma vez, em 1971, quando estávamos nos mudando da casa na Franklin Avenue para Malibu, encontrei um bilhete grudado no verso de um quadro que eu estava tirando da parede. A mensagem era de um indivíduo de quem eu fora próxima antes de me casar com John. Ele tinha passado algumas semanas conosco na casa da Franklin Avenue. A mensagem: "Você estava errada." Eu não sabia em relação a que eu estava errada, mas as possibilidades pareciam infinitas. Queimei o bilhete. Nunca o mencionei para John.

Tudo bem, é o Grand Canyon, pensei, mudando de posição no assento sobre os cilindros de oxigênio de forma a não ver mais a janela.

Mais tarde, pousamos em um milharal no Kansas para reabastecer. Os pilotos fizeram um acordo com os dois adolescentes que cuidavam da pista: durante o reabastecimento, eles iam com sua picape até o McDonald's para comprar hambúrgueres. Enquanto esperávamos, os paramédicos sugeriram que nos revezássemos fazendo algum exercício. Quando chegou a minha vez, fiquei paralisada no asfalto por um momento, com vergonha de estar livre e do lado de fora quando Quintana não podia, em seguida caminhei até onde terminava a pista e começava o milharal. Caía uma chuva fina e o ar parecia instável; imaginei um furacão se aproximando. Quintana e eu éramos Dorothy. Éramos ambas livres. Na verdade, estávamos longe dali. John tinha incluído um furacão em *Nothing Lost*. Eu me lembrei de ler as últimas provas no quarto de Quintana no Presbyterian e de chorar quando cheguei à parte do furacão. Os protagonistas, J.J. McClure e Teresa Kean, veem o furacão "ao longe, escuro e, em seguida, leitoso quando o sol o iluminou, movendo-se como uma enorme serpente vertical reticulada". J.J. diz a Teresa para não se preocupar, pois aquele trecho já tinha sido atingido antes, e furacões nunca atingem o mesmo local duas vezes.

> O furacão por fim se dispersou sem incidentes pouco depois da fronteira com o estado de Wyoming. Naquela noite, na pousada Step Right, na esquina da Higginson com a Higgins, Teresa perguntou se era verdade que furacões nunca passam duas vezes pelo mesmo local. "Não sei", respondeu J.J. "Me pareceu lógico. Como com o raio. E você estava preocupada. Eu não queria que ficasse preocupada."
>
> Era o mais próximo de uma declaração de amor que J.J. conseguia chegar.

De volta ao avião, sozinha com Quintana, peguei um dos hambúrgueres que os adolescentes tinham trazido e o parti em pedaços para que ela e eu pudéssemos dividir. Depois de alguns nacos, ela balançou a cabeça. Fazia apenas uma semana que começara a ingerir coisas sólidas e não conseguir engolir mais. Ainda havia um tubo de alimentação, caso ela não conseguisse comer.

"Será que vou sobreviver?", perguntou ela.

Preferi acreditar que ela estivesse perguntando se ia sobreviver à viagem até Nova York.

"Claro que vai", respondi.

Eu estou aqui. Você está segura.

Claro que ela ficaria bem na Califórnia, lembrei-me de dizer-lhe cinco semanas antes.

Naquela noite, quando chegamos ao Rusk Institute, Gerry e Tony estavam do lado de fora, esperando para receber a ambulância. Gerry perguntou como havia sido o voo. Eu disse que tínhamos dividido um Big Mac em um milharal no Kansas.

"Não era um Big Mac", corrigiu Quintana, "era um Quarteirão com Queijo."

No dia em que, no quarto de Quintana no Presbyterian, li a prova final de *Nothing Lost*, tive a impressão de que poderia haver um erro na última frase da passagem sobre J.J. McClure, Teresa Kean e o furacão. Nunca aprendi de fato as regras gramaticais, valendo-me apenas do que me soava correto, mas havia algo nesse trecho que eu não tinha certeza se soava bem. A frase na última prova era: "Era o mais próximo de uma declaração de amor que J.J. conseguia chegar." Eu teria acrescentado uma preposição. "Era o mais próximo de uma declaração de amor *a* que J.J. conseguia chegar."

Sentei-me junto à janela, observei o gelo flutuando sobre o Hudson e pensei na frase. *Era o mais próximo de uma declaração de amor que J.J. conseguia chegar.* Não era o tipo de frase que você ia querer que estivesse errada se a tivesse escrito, mas tampouco era o tipo de frase que, depois de escrever, você gostaria que fosse mudada. Como ele a teria escrito? O que teria em mente? Como queria que ela ficasse? A decisão cabia a mim agora. Qualquer escolha que eu fizesse carregaria um abandono em potencial, até mesmo uma traição. Essa era uma das razões por que eu estava chorando no quarto de Quintana. Quando cheguei em casa naquela noite, verifiquei o manuscrito original e as provas anteriores. O erro, se é que havia um erro, estava lá desde o início. Deixei como estava.

Por que você sempre tem que estar certa?

Por que você sempre tem que ter a última palavra?

Pelo menos uma vez na vida, deixe de lado.

12

O DIA EM QUE QUINTANA e eu voamos para a
costa Leste no Cessna que reabasteceu em um milharal
no Kansas foi 30 de abril de 2004. Durante maio, junho e
metade de julho, período em que ficou internada no Rusk
Institute, houve muito pouco que eu pudesse fazer por ela.
Eu podia caminhar para leste pela 34th Street para lhe fazer companhia no fim da tarde, e era isso que fazia quase
todos os dias, mas Quintana fazia terapias das oito até as
dezesseis horas, e por volta das 18h30 ou dezenove já estava
exausta. Do ponto de vista médico, ela estava estável. Conseguia comer; o tubo de alimentação ainda estava lá, mas
não era mais necessário. Estava começando a recuperar os
movimentos do braço e da perna direitos. Estava retoman-
do a mobilidade no olho direito, necessária para que pudesse ler. Nos fins de semana, quando não tinha terapias, Gerry
a levava para almoçar e ver um filme no bairro. Jantava com
ela. Amigos se reuniam a eles para fazer piqueniques na
hora do almoço. Enquanto ainda estava no Rusk, eu podia
regar as plantas em sua janela, encontrar os tênis especiais
que sua fisioterapeuta tinha indicado, ficar sentada com ela
na estufa do saguão do hospital observando as carpas no

tanque, mas depois que ela deixasse o Rusk eu não poderia fazer mais nada disso. Ela estava chegando a um estágio no qual, para se recuperar completamente, precisaria começar a fazer as coisas por conta própria.

Resolvi que tentaria passar o verão me esforçando para fazer o mesmo.

Ainda não tinha a concentração necessária para trabalhar, mas podia arrumar minha casa, podia retomar o controle das coisas, podia lidar com a correspondência ainda não aberta.

Não me ocorrera que só agora eu ia começar a lidar com o processo de luto.

Até aquele momento, eu me permitira apenas sofrer, não ficar de luto. O sofrimento é passivo. O sofrimento acontece. O luto, o ato de lidar com o sofrimento, exige atenção. Até aquele momento houvera uma série de razões urgentes para deixar de lado qualquer outra coisa que exigisse minha atenção, banir outros pensamentos, usar a adrenalina disponível para lidar com a crise do dia. Eu tinha passado uma estação inteira durante a qual as únicas palavras que me permitia ouvir de verdade eram uma gravação: *Bem-vindo à U-C-L-A.*

Comecei.

Dentre as cartas, livros e revistas que tinham chegado enquanto eu estava em Los Angeles, havia um volume grosso intitulado *Lives of '54*, preparado para o que era na época a iminente reunião de cinquenta anos da turma de John em Princeton. Dei uma olhada no texto de John: "William Faulkner disse certa vez que o obituário de um escritor deveria ser: 'Escreveu livros, depois morreu'. Isto não é um obituário (pelo menos não até 19 de setembro de 2002) e ainda estou escrevendo livros. Então concordo com Faulkner."

Eu disse a mim mesma: aquilo não era um obituário.

Pelo menos não até 19 de setembro de 2002.

Fechei o *Lives of '54*. Algumas semanas depois, voltei a abri-lo e folheei os outros textos. Um era de Donald H. ("Rummy") Rumsfeld, que escreveu: "Depois de Princeton, os anos parecem um borrão, mas os dias se parecem mais com uma rajada de tiros." Pensei nisso. Outro, uma reflexão de três páginas de Lancelot L. ("Lon") Farrar, Jr., começava: "Talvez a melhor memória compartilhada que temos de Princeton seja o discurso de Adlai Stevenson no evento de formatura."

Também pensei nisso.

Eu tinha sido casada com um membro da turma de 1954 durante quarenta anos e ele nunca mencionara o discurso de Adlai Stevenson no banquete de formatura. Tentei pensar em alguma coisa que ele tivesse mencionado sobre Princeton. Ele havia falado muitas vezes sobre a altivez equivocada que via nas palavras "Princeton a serviço da nação", o slogan que a universidade adotara de um discurso de Woodrow Wilson. Além disso, não conseguia me lembrar de mais nada além de ele dizendo, dias depois de nosso casamento (por que dissera isso? Como esse assunto tinha surgido?), que considerava os Nassoons, grupo *a capella* de Princeton, ridículos. Na verdade, como sabia que isso me divertia, ele às vezes imitava os Nassoons cantando: o gesto estudado de enfiar uma das mãos no bolso, o girar dos cubos de gelo em um copo imaginário, o queixo de perfil, o sorriso ligeiramente satisfeito.

Eu me lembro de você
Nós dois juntos em um monte alto e ventoso...
Nossos rostos expostos e nossos corações esperançosos...

Durante quarenta anos essa canção tinha sido parte de uma brincadeira nossa, mas eu não conseguia me lembrar do título, muito menos do resto da letra. Encontrar essa letra se tornou uma questão de certa urgência. Achei apenas uma referência na internet, em um obituário no *Princeton Alumni Weekly*:

John MacFayden '46 *49: John MacFayden morreu em 18 de fevereiro de 2000, em Damariscotta, Maine, perto da vila de Head Tide, onde ele e sua esposa, Mary-Esther, moravam. A causa da morte foi pneumonia, mas sua saúde já estava frágil havia alguns anos, em especial depois da morte da mulher, em 1977. John veio para Princeton, vindo de Duluth, no verão "acelerado" de 1942. Com talento para a música e para as artes, contribuiu com canções para o Princeton Triangle Club, incluindo "As I Remember You", há muito uma das favoritas dos Nassoons. John animava qualquer festa na qual houvesse um piano. Sua interpretação de "Shine, Little Glow Worm", tocada de cabeça para baixo embaixo do piano, sempre será lembrada. Depois de servir ao exército no Japão, voltou a Princeton para fazer mestrado em arquitetura. Na firma nova-iorquina Harrison & Ambramowitz, projetou um dos principais edifícios das Nações Unidas. Recebeu o Prêmio Roma de arquitetura e, recém-casado com Mary-Esther Edge, passou os anos de 1952-53 na Roman American Academy. Sua carreira na arquitetura, marcada sobretudo pelo projeto do Wolf Trap Center for the Arts, perto de Washington, foi interrompida pela nomeação, na década de 1960, durante o mandato do governador Nelson Rockefeller, como diretor-executivo do primeiro conselho estadual para as artes. A turma de Princeton se junta a seus filhos, Camilla, Luke, William e John, e a seus três netos no luto pela perda de um de nossos membros mais inesquecíveis.

"As I Remember You", há muito uma das favoritas dos Nassoons.

Mas e a morte de Mary-Esther?

E quando teria sido a última vez que aquele que animava qualquer festa tinha tocado "Shine, Little Glow Worm" de cabeça para baixo embaixo do piano?

O que eu não daria para conversar sobre isso com John.

O que eu não daria para conversar sobre o que quer que fosse com John. O que eu não daria para poder dizer qualquer coisa que o fizesse feliz. E qual seria essa coisa? Se eu a tivesse dito a tempo, teria funcionado?

Uma noite ou duas antes de morrer, John me perguntou se eu sabia quantos personagens morriam no romance que ele havia acabado de terminar, *Nothing Lost*. Ele estava sentado em seu escritório fazendo uma lista. Acrescentei um que ele tinha deixado passar. Alguns meses depois de ele falecer, peguei um bloco de notas em sua mesa para fazer uma anotação. No bloco, em uma escrita bem suave a lápis, com sua caligrafia, a lista:

Teresa Kean
Parlance
Emmet McClure
Jack Broderick
Maurice Dodd
Quatro pessoas no carro
Charlie Buckles
Percy — cadeira elétrica (Percy Darrow)
Walden McClure

"Por que uma escrita tão suave?", me perguntei.

Por que ele usaria um lápis que quase não deixava marca?

Quando começou a se ver como morto?

"Não é preto no branco", um jovem médico no Cedars-Sinai Medical Center em Los Angeles me dissera, em 1982, sobre a fronteira entre a vida e a morte. Nós estávamos em uma UTI no Cedars-Sinai observando a filha de Nick e Lenny, Dominique, que tinha sido estrangulada quase até a morte na noite anterior. Deitada em um leito da UTI, ela parecia estar dormindo, mas nunca se recuperaria. Respirava apenas com a ajuda de aparelhos.

Dominique era a menininha de 4 anos em meu casamento com John.

Dominique tinha sido a prima que supervisionava as festas de Quintana, que a levou para comprar o vestido de formatura e que ficava com ela quando estávamos fora da cidade. *Batatinha, quando nasce, se esparrama pelo chão*, estava escrito em um cartão no vaso de flores que Quintana e Dominique tinham deixado sobre a mesa quando voltamos de uma dessas viagens. *Eu gostaria que não estivessem em casa, e Dominique também não. Com amor, feliz Dia das Mães, D & Q.*

Eu me lembro de pensar que o médico estava errado. Enquanto estivesse inconsciente naquela UTI Dominique estaria viva. Não conseguia se manter viva sem a ajuda de aparelhos, mas estava viva. Aquilo era branco. Quando desligassem os aparelhos, alguns minutos se passariam antes que seus órgãos entrassem em falência e então ela estaria morta. Aquilo seria preto.

Não havia traços indistintos na morte, não havia marcas a lápis.

Quaisquer traços indistintos, quaisquer marcas a lápis, tinham sido deixadas "uma ou duas noites antes de ele morrer" ou "uma ou duas semanas antes". De qualquer maneira, definitivamente *antes de ele morrer*.

Havia uma fronteira.

A irreversibilidade abrupta dessa fronteira foi algo em que pensei com muita frequência durante a última primavera e o último verão depois que voltei do hospital da UCLA. Uma amiga próxima, Carolyn Lelyveld, morreu em maio, no Memorial Sloan-Kettering. A esposa de Tony Dunne, Rosemary Breslin, morreu em junho, no Columbia-Presbyterian. Em cada um desses casos, a expressão "depois de uma longa doença" teria sido adequada, deixando sua sugestão equivocada de libertação, alívio, resolução. Em cada uma dessas longas doenças, estivera implícita a possibilidade da morte, no caso de Carolyn havia alguns meses, no caso de Rosemary, desde 1989, quando ela 32 anos. Ainda assim, essa possibilidade implícita não aliviou de maneira nenhuma quando veio o súbito vazio da perda causado pelo acontecimento em si. Ainda era preto no branco. Todos eles estavam vivos no derradeiro instante, e, em seguida, morreram. Eu me dei conta de que nunca tinha acreditado nas palavras que aprendi, quando criança, em minha confirmação como uma episcopaliana: *Acredito no Espírito Santo, na Sagrada Igreja Católica, na Comunhão dos Santos, no perdão dos pecados, na ressurreição do corpo e na vida eterna, amém.*

Eu não acreditava na ressurreição do corpo.

Nem Teresa Kean, Parlance, Emmett McClure, Jack Broderick, Maurice Dodd, as quatro pessoas no carro, Charlie Buckles, Percy Darrow ou Walden McClure.

Nem meu marido católico.

Imaginava que essa linha de pensamento fosse esclarecedora, mas, na verdade, era tão turva que contradizia até a si mesma.

Eu não acreditava na ressurreição do corpo, mas, ainda assim, acreditava que, nas circunstâncias certas, John ia voltar.

Ele, que deixara aqueles vestígios tênues antes de morrer, com o lápis claro.

Certo dia, me pareceu importante reler *Alceste*. A última vez que lera a peça tinha sido aos 16 ou 17 anos, para um trabalho de escola sobre Eurípides, mas me lembrava da obra como algo relevante para essa questão sobre a "fronteira". Eu me lembrava dos autores gregos clássicos em geral, mas de *Alceste* em particular, como uma obra boa no que dizia respeito à passagem entre a vida e a morte. Eles a visualizaram, a dramatizaram, colocando em cena as águas escuras e a barca. Eu reli *Alceste*. O que acontece na peça é o seguinte: Admeto, o jovem rei da Tessália, foi condenado a morrer pela própria Morte. Apolo intercedeu, obtendo das Moiras a promessa de que, se Admeto conseguisse algum mortal para morrer em seu lugar, ele não precisaria morrer de imediato. Admeto aborda seus amigos e pais, mas em vão. "Digo a mim mesmo que viveremos muito tempo no submundo e que a vida é curta, mas doce", seu pai fala depois de se recusar a tomar seu lugar.

Apenas a mulher de Admeto, a jovem rainha Alceste, se voluntaria. Há muitos lamentos conforme sua morte se aproxima, mas ninguém se oferece para salvá-la. Ela morre, por fim: "Vejo a barca de dois remos,/ Vejo a barca no lago!/ E Caronte,/ Barqueiro dos mortos,/ Chama por mim, com a mão no remo..." Admeto é tomado pela culpa, pela vergonha e pela autocomiseração: "Ah, como é amarga a travessia da qual falas! Ah, minha infeliz amada, como sofremos!" Ele se comporta mal em todos os sentidos. Culpa os pais. Insiste que Alceste sofre menos do que ele. Depois de algumas (e suficientes) páginas, Alceste, por meio de um *deus ex machina* incrivelmente inábil (até mesmo para o ano 430 a.C.) recebe permissão para voltar. Ela não fala, mas isso é explicado, mais uma vez de maneira desastrosa, como algo temporário, uma forma de correção: "Não poderão ouvir sua voz até que ela se purifique da consagração aos Deuses Inferiores e até raiar a terceira aurora." Se nos ativermos apenas ao texto, o fim da peça é feliz.

Essa não era minha lembrança de *Alceste*, o que sugere que, aos 16 ou 17 anos, eu já tinha uma inclinação para editar o texto enquanto o lia. As principais divergências entre o texto e minha lembrança aparecem no fim, quando Alceste volta dos mortos. Em minha memória, Alceste não fala porque se recusa a isso. Admeto, de acordo com minha lembrança, a pressiona, até que, para seu pesar, ela por fim fala, mas o que parece ter em mente são as falhas reveladas por ele. Admeto, alarmado, a interrompe, convocando uma celebração. Alceste aquiesce, mas permanece distante, diferente. Na superfície, está de volta ao lado do marido e dos filhos e é mais uma vez a jovem rainha da Tessália, mas o fim ("meu" fim) não pode ser considerado feliz.

Em alguns aspectos esta história é melhor (mais "bem trabalhada"), uma história que ao menos reconhece que a morte "modifica" a pessoa que morreu, mas levanta outras questões sobre a fronteira. Se os mortos pudessem de fato regressar, o que saberiam ao voltar? Poderíamos encará-los? Nós, que deixamos que eles morressem? A luz clara do dia me diz que não deixei que John morresse, que eu não tinha esse poder, mas será que acredito nisso? Será que ele acredita?

Os sobreviventes olham para trás e veem presságios, mensagens que deixaram de enxergar.

Lembram-se da árvore que morreu, da gaivota que se espatifou contra o capô do carro.

Vivem de símbolos. Veem significados na seleção de lixo eletrônico do computador sem uso, na tecla *delete* que para de funcionar, no abandono imaginário ao decidir substituí-la. A voz em minha secretária eletrônica ainda é a de John. O fato de ser a dele desde o início foi arbitrário, determinado por quem estava em casa no dia em que ela precisou ser programada pela última vez, mas se tivesse que regravá-la hoje, eu o faria com um sentimento de traição. Certo dia, quando estava falando ao telefone em seu escritório, virei sem pensar as páginas do dicionário que ele sempre deixava aberto na mesa ao lado da escrivaninha. Quando me dei conta do que tinha feito, fiquei em choque: que palavra teria sido a última que ele consultou, no que estaria pensando? Ao virar as páginas, será que eu teria perdido a mensagem? Ou a mensagem já estaria perdida antes mesmo de eu tocar o dicionário? Será que eu teria me recusado a ouvi-la?

Eu lhes digo que não viverei dois dias, disse Gawain.

Mais tarde naquele verão, recebi outro livro de Princeton. Era um exemplar da primeira edição de *True Confessions*, em, como dizem os livreiros, "bom estado, sobrecapa original ligeiramente gasta". Na verdade, era um exemplar que pertencera a John: aparentemente, ele o havia enviado a um colega de turma que estava organizando, para a reunião de cinquenta anos da turma de 1954, uma exposição com os livros escritos pelos alunos. "Ocupou o lugar de honra", me escreveu o colega, "já que John foi inquestionavelmente o mais importante escritor de nossa turma."

Examinei a sobrecapa original, ligeiramente gasta, do exemplar de *True Confessions*.

Lembrei-me da primeira vez que vi aquela sobrecapa, ou uma prova que ficou em nossa casa por dias, como costumavam ficar os projetos e as propostas de capa de novos livros, no intuito de avaliarmos se, com o passar do tempo, funcionariam ou não, se continuariam a ser agradáveis ao olhar.

Abri o livro. Li a dedicatória. "Para Dorothy Burns Dunne, Joan Didion, Quintana Roo Dunne", dizia. "Gerações".

Eu havia me esquecido dessa dedicatória. Não *dera a devida importância*, um tema constante daquela fase que eu estava vivendo.

Reli *True Confessions*. Achei mais sombrio do que me recordava. Reli *Harp*. Deparei-me com uma versão diferente, menos ensolarada do verão que passamos assistindo a *Tenko* e jantando no Morton's.

Algo mais tinha acontecido próximo do fim daquele verão.

Em agosto, fomos ao funeral de um conhecido (isso não foi em si o "algo mais" que aconteceu), um tenista francês na casa dos 60 anos que tinha morrido em um acidente. O funeral foi na quadra de tênis de alguém em Beverly Hills. "Encontrei minha esposa no funeral", escrevera John em *Harp*, "vindo diretamente de uma consulta médica em Santa Monica, e, enquanto estava ali sentado sob o sol quente de agosto, a morte estava muito presente em minha cabeça. Pensei que Anton na verdade morrera nas melhores circunstâncias possíveis para ele, um momento de terror quando se deu conta do inevitável desfecho do acidente, e um instante depois a escuridão eterna."

A cerimônia terminou e o manobrista trouxe meu carro. Enquanto íamos embora, minha esposa perguntou:

"O que o médico disse?"

Não houvera um momento apropriado para mencionar minha consulta com o médico em Santa Monica.

"Ele me deixou apavorado, querida."

"O que ele disse?"

"Ele disse que sou candidato a um ataque cardíaco de proporções catastróficas."

Algumas páginas adiante em *Harp*, o escritor, John, analisa a veracidade desse (seu) relato. Ele nota que um nome foi mudado, que houve uma certa reestruturação dramática, um ligeiro colapso temporal. Pergunta a si mesmo: "Mais alguma coisa?" Esta foi sua resposta: "Quando disse à minha esposa que ele me deixou apavorado, comecei a chorar."

Ou não me lembrava disso ou tinha escolhido resolutamente não me lembrar.

Eu não *dera a devida importância*.

Será que foi isso que ele experimentou ao morrer? "Um momento de terror quando se deu conta do inevitável desfecho do acidente, e um instante depois a escuridão eterna"? Considerando que aconteceu em uma determinada noite e não em outra qualquer, o mecanismo de um típico ataque cardíaco pode ser compreendido como algo essencialmente acidental: um espasmo súbito rompe um depósito de placa em uma artéria coronária, então há uma isquemia, e o coração, privado de oxigênio, entra em fibrilação ventricular.

Mas como ele vivenciou isso?

O "momento de terror", a "escuridão eterna"? Será que intuiu isso com precisão quando estava escrevendo *Harp*? Será que tinha, como dizíamos um ao outro em relação a algo ter sido escrito ou compreendido com precisão, "acertado em cheio"? E a parte sobre a "escuridão eterna"? Os sobreviventes de experiências de quase morte não mencionavam sempre uma "luz branca"? Ocorre-me enquanto escrevo que essa "luz branca", em geral apresentada como algo místico (evidência de uma vida após a morte, da existência de um poder maior), é, na realidade, condizente com a privação de oxigênio que ocorre quando o fluxo de sangue para o cérebro diminui. "Ficou tudo branco", dizem aqueles cuja pressão cai sobre o instante que antecede o desmaio. "Toda a cor desapareceu", relatam os que sofrem hemorragia interna sobre o momento em que a perda de sangue atinge o ponto crítico.

O "algo mais" que ocorreu próximo do fim daquele verão, que deve ter sido em 1987, foi uma série de acontecimentos que se seguiram à consulta com o médico em Santa Monica e ao funeral na quadra de tênis em Beverly Hills. Mais ou menos uma semana depois, John foi submetido a uma angiografia. A angiografia mostrou uma obstrução de noventa por cento na artéria descendente anterior esquerda. Também revelou um longo estreitamento de noventa por cento na artéria circunflexa marginal, que foi considerado importante sobretudo porque a artéria circunflexa marginal irrigava a mesma área do coração que a artéria descendente anterior esquerda obstruída. "Nós a chamamos de fazedora de viúvas, meu amigo", disse o cardiologista de John mais tarde, em Nova York. Uma semana ou duas depois da angiografia (àquela altura era setembro, ainda verão em Los Angeles), foi feita uma angioplastia. Os resultados após duas semanas, como demonstrado por um ecocardiograma com prova de esforço, foram considerados "espetaculares". Outro eco seis meses depois confirmou o sucesso. Exames com tálio nos anos seguintes e uma angiografia subsequente em 1991 deram a mesma confirmação. Eu me lembro de que John e eu tínhamos visões diferentes sobre o que aconteceu em 1987. De seu ponto de vista, ele tinha agora uma sentença de morte, temporariamente suspensa. Sempre dizia, depois da angioplastia de 1987, que agora sabia como ia morrer. De meu ponto de vista, aquilo tinha acontecido em um momento providencial, a intervenção fora bem-sucedida, o problema, resolvido, o mecanismo, corrigido. "Você não sabe como vai morrer mais do que eu ou qualquer outra pessoa", lembro-me de dizer a ele. Percebo agora que sua visão era a mais realista.

13

Eu costumava contar meus sonhos a John, não para compreendê-los, mas para me livrar deles, limpar minha mente para encarar o dia. "Não me conte seus sonhos", ele me dizia de manhã quando eu acordava, mas, no fim, acabava ouvindo.

Quando ele morreu, parei de sonhar.

No começo do verão, pela primeira vez desde sua morte, voltei a sonhar. Uma vez que não posso mais contá-los para John, eu me pego pensando neles. Lembro-me de um trecho de um romance que escrevi em meados da década de 1990, *The Last Thing He Wanted*:

> É claro que não precisávamos daqueles últimos seis bilhetes para saber com o que Elena sonhava.
>
> Elena sonhava com a morte.
>
> Elena sonhava com envelhecer.
>
> Não há ninguém aqui que não tenha tido (ou que não venha a ter) os sonhos de Elena.
>
> Todos sabemos disso.
>
> A questão é que Elena não sabia.

A questão é que Elena permanecia distante, sobretudo de si mesma, uma agente clandestina que tinha compartimentalizado de forma tão bem-sucedida sua operação que perdera o acesso aos próprios atalhos.

Percebo que a situação de Elena é a minha.

Em um sonho, estou pendurando um cinto trançado em um armário quando ele se parte. Cerca de um terço do cinto simplesmente cai de minhas mãos. Mostro os dois pedaços a John. Digo (ou ele diz, quem sabe quando se trata de sonhos) que aquele era seu cinto favorito. Decido (novamente, acho que decido, devo ter decidido, minha mente semidesperta me diz para fazer a coisa certa) encontrar um cinto trançado idêntico para ele.

Em outras palavras, consertar o que quebrei, *trazê-lo de volta.*

A semelhança entre esse cinto trançado e o que encontrei na sacola plástica que me foi entregue no New York Hospital não passa despercebida. Nem o fato de que ainda estou pensando *eu estraguei tudo, a culpa foi minha, eu sou a responsável.*

Em outro sonho, John e eu estamos tomando um avião rumo a Honolulu. Várias outras pessoas vão conosco, estamos todos no aeroporto de Santa Monica. Os estúdios Paramount tinham providenciado os aviões. Assistentes de produção distribuem cartões de embarque. Eu embarco. Há uma confusão. Outras pessoas estão embarcando, mas não há sinal de John. Preocupo-me com a possibilidade de ter havido algum problema com seu cartão de embarque.

Decido sair do avião e esperar por ele no carro. Enquanto espero no carro, percebo que os aviões estão decolando, um por um. Por fim, não resta ninguém na pista além de mim. Meu primeiro pensamento no sonho é de raiva: John embarcou em um avião sem mim. Meu segundo pensamento transfere a raiva: a Paramount não se importava tanto assim conosco para nos colocar no mesmo voo.

O que a "Paramount" estava fazendo nesse sonho exigiria outra discussão, irrelevante.

Quando penso no sonho me lembro de *Tenko*. No enredo de *Tenko*, conforme a série avança, acompanhamos as mulheres inglesas até sua libertação do campo de prisioneiros japonês e os reencontros com seus maridos em Singapura, que não transcorrem todos tão bem. Parecia haver, para algumas delas, uma dimensão na qual seus maridos eram responsáveis pelo tormento do aprisionamento. Parecia haver um sentimento, por mais irracional que fosse, de terem sido abandonadas. Será que eu me sentia abandonada, deixada para trás na pista, será que eu sentia raiva de John por ter me deixado? Seria possível sentir raiva e ao mesmo tempo me sentir responsável?

Sei que resposta um psiquiatra daria a essa questão.

A resposta teria a ver com o conhecido processo por meio do qual a raiva gera culpa, e vice-versa.

Não é que não acredite nessa resposta, mas ela permanece menos sugestiva para mim do que a imagem não examinada, o mistério de ser deixada sozinha na pista do aeroporto em Santa Monica, vendo os aviões decolarem um por um.

Todos sabemos disso.

A questão é que Elena não sabia.

Acordo, ao que parece, às 3h30 da madrugada e vejo que a televisão está ligada na MSNBC. Joe Scarborough ou Keith Olbermann está conversando com um casal, passageiros de um voo de Detroit para Los Angeles, "327 da Northwestern" (chego a anotar isso, para mostrar a John), no qual uma "tentativa de atentado terrorista" parece ter ocorrido. O incidente teria envolvido catorze homens, supostamente "árabes", que, em algum momento após a decolagem de Detroit, começaram a se reunir perto do banheiro da classe econômica, entrando um atrás do outro.

O casal entrevistado relata que fez sinais para a tripulação.

O avião pousou em Los Angeles. Os "árabes", todos os catorze com "vistos vencidos" (isso pareceu ser encarado pela MSNBC como algo incomum, mais do que aparentou ser), foram detidos e em seguida liberados. Todos, incluindo o casal na televisão, seguiram com seu dia. Não tinha sido, então, um "atentado terrorista", o que fazia daquele acontecimento apenas uma "tentativa de atentado terrorista".

No sonho, preciso discutir isso com John.

Terá sido mesmo um sonho?

Quem é o responsável pelos sonhos? Ele se importa?

Será que apenas sonhando ou escrevendo eu conseguia descobrir o que pensava?

Quando os entardeceres começaram a se alongar, em junho, eu me forcei a comer na sala de jantar, onde havia luz natural. Depois da morte de John, comecei a jantar sozinha, na cozinha (a sala de jantar era grande demais e a mesa na sala de estar era onde ele tinha morrido), mas, quando os dias ficaram mais longos, tive a forte sensação de que ele ia querer que eu aproveitasse a luz. Quando os dias começaram a se encurtar, me recolhi outra vez na cozinha. Comecei a passar mais noites sozinha em casa. Eu ia trabalhar, dizia. Quando agosto chegou, eu de fato estava trabalhando, ou tentando, mas também não queria sair, me expor. Certa noite, me vi tirando do armário não um dos pratos que costumava usar, mas um prato Spode rachado e gasto pelo uso, de um aparelho cuja maior parte das peças estava quebrada ou lascada, com um padrão que não era mais fabricado, o "Wickerdale". Era um conjunto de pratos creme com uma guirlanda de pequenas flores rosa e azuis e folhas bege, que a mãe de John lhe dera para o apartamento que ele alugava na 73rd Street antes de nos casarmos. A mãe de John estava morta. John estava morto. E eu ainda tinha, do aparelho de jantar "Wickerdale", quatro pratos rasos, cinco pratos de salada, três pratos de sobremesa, uma única xícara de café e nove pires. Passei a preferir esses pratos a todos os outros. No fim do verão, eu estava ligando a lava-louças com apenas um quarto da capacidade só para ter certeza de que pelo menos um dos quatro pratos rasos "Wickerdale" estaria sempre limpo quando eu precisasse dele.

Em algum momento durante o verão, ocorreu-me que eu não tinha cartas de John, nem mesmo uma. Foram raras as ocasiões em que ficamos muito longe um do outro ou por muito tempo. Houve uma, duas ou três semanas aqui e ali quando um de nós estava escrevendo uma matéria. Houvera um mês em 1975 em que eu dava aulas em Berkeley durante a semana e tomava um voo da PSA para Los Angeles todo fim de semana. Houve algumas semanas em 1988 quando John esteve na Irlanda fazendo uma pesquisa para *Harp* enquanto eu estava na Califórnia, cobrindo as primárias das eleições presidenciais. Em todas essas ocasiões, nos falávamos ao telefone várias vezes ao dia. As contas telefônicas altas que acumulávamos eram parte de nosso acordo, assim como as contas altas nos hotéis, quando Quintana faltava à escola e tomávamos um voo para algum lugar onde podíamos trabalhar juntos ao mesmo tempo, no mesmo quarto. O que eu tinha, em vez de cartas, era uma recordação de uma dessas suítes de hotel: um pequeno relógio despertador preto que ele me deu em um Natal em Honolulu quando estávamos reescrevendo um roteiro que nunca foi filmado. Foi um dos muitos Natais em que trocamos não "presentes", mas coisas pequenas e práticas. Aquele despertador tinha parado de funcionar um ano antes da morte de John, não teve conserto e, depois que ele morreu, não consegui jogá-lo fora. Não consegui nem ao menos tirá-lo de minha mesinha de cabeceira. Eu também tinha um conjunto de canetas Buffalo coloridas, que ganhei de presente no mesmo Natal, com o mesmo espírito. Fiz muitos desenhos de palmeiras naquele Natal, palmeiras agitadas pelo vento, palmeiras perdendo folhas, palmeiras vergadas pelas tempestades *kona* de dezembro. As canetas Buffalo tinham secado havia muito tempo, mas tampouco conseguia jogá-las fora.

Naquela noite de réveillon em Honolulu, me lembro de ter sentido um bem-estar tão profundo que não queria ir dormir. Tínhamos pedido ao serviço de quarto *mahimahi* e alface Manoa com molho vinagrete para nós três. Tínhamos tentado criar um clima festivo colocando colares de flores sobre as impressoras e computadores que estávamos usando para reescrever o roteiro. Tínhamos encontrado e acendido velas e colocado para tocar as fitas cassete que Quintana embrulhara e arrumara embaixo da árvore de Natal. John ficou lendo na cama e pegou no sono por volta de 23h30. Quintana desceu para ver o que estava acontecendo lá embaixo. Eu observei John dormindo. Sabia que Quintana estava segura, ela descia para ver o que estava acontecendo no hotel (às vezes sozinha, às vezes com Susan Traylor, que com frequência acompanhava Quintana quando estávamos trabalhando em Honolulu) desde que tinha 6 ou 7 anos. Sentei-me na varanda com vista para o campo de golfe do Waialae Country Club e terminei de beber a garrafa de vinho que tínhamos aberto no jantar enquanto assistia aos fogos de artifício por toda Honolulu.

Eu me lembro de um último presente de John. Era meu aniversário, 5 de dezembro de 2003. Tinha começado a nevar em Nova York por volta das dez horas e, à noite, já haviam se acumulado cerca de vinte centímetros de neve, com previsão de mais quinze durante a madrugada. Eu me lembro da neve deslizando como uma avalanche do telhado da St. James' Church, do outro lado da rua. Os planos de jantar com Quintana e Gerry em um restaurante foram cancelados. Antes do jantar, John se sentou perto da lareira na sala de estar e leu para mim em voz alta. O livro que lia era um de meus romances, *A Book of Common Prayer*, que estava na sala porque ele o estava relendo para ver como funcionava uma questão técnica. A sequência que leu em voz alta era uma na qual Leonard, o marido de Charlotte Douglas, faz uma visita à narradora, Grace Strasser-Mendana, e diz a ela que o que está acontecendo no país governado por sua família não vai terminar bem. É uma sequência complicada (esta era a sequência que John tinha a intenção de reler para ver como funcionava tecnicamente), interrompida por outra ação e que exige que o leitor capte o subtexto no que Leonard Douglas Grace Strasser-Mendana dizem um ao outro. "Cacete", John falou quando fechou o livro. "Nunca mais me diga que não sabe escrever. Este é meu presente de aniversário para você."

Eu me lembro de ficar com lágrimas nos olhos.

Sinto as lágrimas agora.

Em retrospecto, esse tinha sido meu presságio, minha mensagem, a nevasca antes do tempo, o presente de aniversário que ninguém mais poderia me dar.

Ele tinha apenas mais 25 noites de vida.

14

CHEGOU UM MOMENTO, naquele verão, em que comecei a me sentir frágil, instável. Uma sandália ficou presa na calçada e eu tive que dar alguns passos trôpegos para evitar a queda. E se eu não tivesse feito isso? E se tivesse caído? O que ia quebrar, quem iria ver o sangue escorrendo por minha perna, quem chamaria o táxi, quem me acompanharia na emergência? Quem estaria comigo quando eu voltasse para casa?

Parei de usar sandálias. Comprei dois pares de tênis Puma e passei a usar apenas eles.

Comecei a deixar luzes acesas durante a noite. Se a casa estivesse às escuras, eu não ia poder me levantar para fazer uma anotação, procurar um livro ou me certificar de que tinha desligado o forno. Se a casa estivesse às escuras, eu ficava deitada, imobilizada, tomada por visões de perigos domésticos, os livros que podiam cair da estante e me nocautear, o tapete no qual eu poderia tropeçar no corredor, a mangueira da máquina de lavar que poderia inundar a cozinha e, no escuro, poderia eletrocutar quem acendesse a luz para checar se o forno estava ligado. Dei-me conta de que isso poderia ser mais do que apenas prudência quando um conhecido, um jovem escritor, foi até minha casa para perguntar se podia escrever um perfil sobre mim. Eu me ouvi dizer, com muita urgência, que não havia nada a escrever sobre mim. Eu não estava em condições de que ninguém escrevesse sobre mim. Ouvi a mim mesma frisando isso, lutando para recuperar o equilíbrio, evitar a queda.

Pensei nisso mais tarde.

Percebi que naquele momento não confiava em mim mesma para apresentar uma face coerente ao mundo.

Alguns dias depois, estava empilhando alguns exemplares da revista *Daedalus* que estavam espalhados pela casa. Empilhar revistas parecia, àquela altura, algo que eu era capaz de fazer no sentido de organizar minha vida. Tomando o cuidado de não forçar demais meu limite, abri um dos exemplares de *Daedalus*. Havia um conto de Roxana Robinson, intitulado "Blind Man". No texto, um homem dirige à noite, na chuva, a caminho de uma palestra. O leitor identifica os sinais de perigo: o homem não consegue se lembrar do tema de sua palestra, conduz seu pequeno carro alugado para a pista de maior velocidade sem ver outro veículo que se aproxima; há referências a alguém, "Juliet", a quem algo preocupante aconteceu. Aos poucos ficamos sabendo que Juliet era a filha do homem e que, em sua primeira noite sozinha depois de uma suspensão na faculdade, de ter ido para uma clínica de reabilitação e de ter passado algumas semanas restauradoras no campo com o pai, a mãe e a irmã, tinha cheirado cocaína suficiente para romper uma artéria no cérebro e morrer.

Um dos muitos aspectos do conto que me perturbaram (o mais óbvio deles o rompimento da artéria no cérebro da filha) foi este: o pai é apresentado com alguém frágil, instável. O pai sou eu.

Na verdade, conheço Roxana Robinson superficialmente. Penso em ligar para ela. Ela sabe algo que só agora estou começando a aprender. Mas seria estranho e intrusivo ligar: só estive com ela uma vez, em uma festa em um terraço. Em vez disso, penso nas pessoas que conheço que perderam o marido, a esposa ou um filho. Penso em especial na aparência dessas pessoas quando as encontrava inesperadamente — na rua, por exemplo, ou ao entrar em uma sala — durante o ano após a morte do ente querido. O que me impressionou em cada uma dessas ocasiões foi como elas pareciam expostas, em carne viva.

Como pareciam frágeis, compreendo agora.

Como pareciam instáveis.

Abro outro exemplar de *Daedalus*, este dedicado ao conceito de "felicidade". Um artigo sobre a felicidade, um trabalho conjunto de Robert Biswas-Diener, da Universidade de Oregon, e Ed Diener e Maya Tamir, da Universidade de Illinois, Champaign-Urbana, informava que, apesar de "pesquisas terem mostrado que as pessoas são capazes de se adaptar a uma ampla variedade de acontecimentos bons e ruins em menos de dois meses", ainda havia "algumas situações às quais as pessoas levam mais tempo ou são incapazes de se adaptar totalmente". O desemprego era uma dessas situações. "Também concluímos", acrescentam os autores, "que a média das viúvas leva muitos anos, depois da morte do companheiro, para retomar o nível anterior de satisfação em relação à vida."

Será que eu era parte da "média das viúvas"? Qual seria na verdade meu "nível de satisfação anterior"?

Vou a uma consulta médica, um acompanhamento de rotina. Ele me pergunta como estou. Esta não deveria ser, em um consultório médico, uma pergunta inesperada. Ainda assim me vejo subitamente às lágrimas. Esse médico também é um amigo. John e eu fomos ao seu casamento. Ele se casou com a filha de amigos que moravam em frente à nossa casa em Brentwood Park. A cerimônia foi realizada sob um jacarandá. Nos primeiros dias depois da morte de John, esse médico foi até nossa casa. Quando Quintana estava no Beth Israel North, ele foi até lá comigo um domingo à tarde e conversou com os médicos da UTI. Quando Quintana estava no Columbia-Presbyterian, o hospital em que ele trabalhava, embora ela não fosse sua paciente, ele tinha ido vê-la todas as noites. Quando Quintana estava no hospital da UCLA e ele por acaso esteve na Califórnia, tirou uma tarde para ir até a unidade de neurociência e conversar com os médicos de lá. Tinha conversado com eles e depois com os médicos do Departamento de Neurologia do Columbia-Presbyterian, e, em seguida, me explicara tudo que eles disseram. Ele fora generoso, prestativo, encorajador, um verdadeiro amigo. E em troca eu estava chorando em seu consultório porque ele tinha me perguntado como eu estava.

"Simplesmente não consigo ver o lado bom de tudo isso", eu me ouvi dizer em resposta.

Mais tarde, ele me disse que se estivesse no consultório, assim como ele, John teria achado aquilo engraçado. "É claro que eu sei o que você quis dizer, e John também saberia, você quis dizer que não consegue ver a luz no fim do túnel."

Concordei, mas, na verdade, não era bem isso.

Eu quis dizer exatamente o que tinha dito: não conseguia ver o lado bom de tudo aquilo.

Enquanto pensava na diferença entre as duas frases, me dei conta de que minha impressão de mim mesma era a de alguém capaz de procurar, e encontrar, o lado bom de qualquer situação. Eu acreditava na lógica das canções populares. Tinha procurado o lado bom das coisas. Tinha enfrentado a tempestade. Percebo agora que essas não eram nem ao menos as canções de minha geração. Eram as canções, e a lógica, da geração ou das duas gerações que precederam a minha. A trilha sonora de minha geração era Les Paul e Mary Ford, "How High the Moon", que tinha uma lógica completamente diferente. Também me dou conta, o que não era uma ideia original, mas uma ideia nova para mim, de que a lógica dessas canções mais antigas era baseada na autopiedade. A pessoa que canta sobre procurar o lado positivo acredita que as nuvens negras vieram em sua direção. A pessoa que canta sobre enfrentar a tempestade acredita que, se não fizesse isso, a tempestade acabaria com ela.

Eu repetia para mim mesma que tinha sido uma pessoa afortunada durante toda a vida. A questão, de meu ponto de vista, era que isso não me dava o direito de achar que era desafortunada agora.

Essa era minha versão de não me deixar levar pela autopiedade.

Eu até acreditava naquilo.

Apenas mais adiante comecei a me questionar: o que exatamente a "sorte" tinha a ver com isso? Mesmo depois de examinar a questão, não conseguia localizar de fato nenhum exemplo de "sorte" em minha história. ("Isso foi sorte", disse a uma médica certa vez depois que um exame revelou um problema solucionável que, caso não fosse tratado, teria sido mais difícil de resolver. "Eu não chamaria de sorte", disse ela, "chamaria de prevenção.") Tampouco acreditava que a "má sorte" tivesse matado John e atingido Quintana. Certa vez, quando ainda estava na Westlake, Quintana mencionou o que considerava ser a distribuição injusta de más notícias. No nono ano, ela tinha voltado de um retiro no parque Yosemite e recebera a notícia de que seu tio Stephen cometera suicídio. No décimo primeiro ano, tinha sido acordada às 6h30 na casa de Susan com a notícia de que Dominique tinha sido assassinada. "A maioria das pessoas de minha escola nem ao menos conhece alguém que morreu", dissera ela "e desde que fui para lá tive um assassinato e um suicídio na família."

"Tudo se equilibra no final", dissera John, uma resposta que me deixou confusa (o que ele queria dizer com isso, não conseguia pensar em nada melhor?), mas que pareceu deixá-la satisfeita.

Muitos anos mais tarde, depois que a mãe e o pai de Susan morreram com um intervalo de um ou dois anos entre um e outro, ela me perguntou se eu me lembrava de John dizendo a Quintana que tudo se equilibrava no final. Eu disse que sim.

"Ele estava certo", disse Susan. "Tudo se equilibrou."

Eu me lembro de ter ficado chocada. Nunca me ocorrera que John quisesse dizer que más notícias chegam para todos nós. Susan e Quintana certamente tinham entendido errado. Expliquei a Susan que John quisera dizer algo completamente diferente: o que ele queria dizer era que as pessoas que recebem notícias ruins no fim das contas acabam recebendo também sua cota de notícias boas.

"Não foi nada disso que eu quis dizer", falou John.

"Eu sei o que ele quis dizer", acrescentou Susan.

Será que eu é que tinha entendido tudo errado?

Consideremos a questão da "sorte".

Eu não só não acreditava que a "má sorte" tinha matado John e atingido Quintana como, na verdade, acreditava precisamente no oposto: acreditava que deveria ter sido capaz de impedir o que acontecera. Só depois do sonho no qual era deixada para trás na pista do aeroporto de Santa Monica me ocorreu que, de alguma maneira, eu não me considerava de fato responsável. Eu considerava John e Quintana responsáveis, uma diferença importante, mas não uma diferença que me levasse a nenhum dos lugares para onde precisava ir. *Pelo menos uma vez na vida, deixe de lado.*

15

ALGUNS MESES DEPOIS da morte de John, no fim do inverno de 2004, depois do Beth Israel e do Presbyterian e antes do hospital da UCLA, Robert Silvers, do *The New York Review of Books*, me perguntou se eu gostaria de credenciais de imprensa para cobrir as convenções dos partidos Democrata e Republicano, no verão seguinte. Pesquisei as datas: a convenção democrata seria no fim de julho, em Boston; a republicana seria uma semana antes do Dia do Trabalho, comemorado na primeira segunda-feira de setembro, em Nova York. Respondi que sim. Na época me pareceu uma maneira de me comprometer com uma vida normal sem ter que vivê-la de fato por mais uma ou duas estações, até que veio a primavera, em seguida o verão, e o outono se aproximou.

Eu tinha passado a maior parte da primavera no hospital da UCLA.

Em meados de julho, Quintana recebeu alta do Rusk Institute.

Dez dias depois, fui para Boston cobrir a convenção do Partido Democrata. Eu não tinha previsto que minha nova fragilidade também viajaria para Boston, uma cidade desprovida, pensei, de associações potencialmente arriscadas. Tinha ido a Boston com Quintana apenas uma vez, na turnê de divulgação de um livro. Ficamos hospedadas no Ritz. Sua parada favorita nessa turnê fora Dallas. Ela tinha achado Boston "muito branca". "Você quer dizer que não viu nenhuma pessoa negra em Boston?", perguntara a mãe de Susan Traylor quando Quintana voltou para Malibu e contou sobre a viagem. "Não", respondeu Quintana, "eu quis dizer que lá não tem cor." Nas últimas vezes que precisara ir a Boston, eu tinha ido sozinha, e em cada uma delas me planejara de forma a pegar o último voo de volta para casa no mesmo dia; a única vez que eu conseguia me lembrar de ter estado lá com John fora para a pré-estreia de *Confissões verdadeiras*, adaptação cinematográfica de seu romance *True Confessions*, e tudo de que me lembrava era de almoçar no Ritz, de caminhar com John até a Brooks Brothers para comprar uma camisa e de ouvir, depois que o filme foi exibido e a resposta da audiência avaliada, a desalentadora conclusão sobre suas perspectivas comerciais: o filme poderia ter êxito, disseram as pesquisas de mercado, entre adultos com mais de dezesseis anos de escolaridade.

Dessa vez eu não ia ficar no Ritz.

Não haveria necessidade de ir até a Brooks Brothers.

Haveria pesquisas de mercado, mas as más notícias que elas pudessem dar não seriam para mim.

Não percebi que ainda havia espaço para erros até estar caminhando em direção ao Fleet Center para a cobertura da convenção e me ver às lágrimas. O primeiro dia da convenção do Partido Democrata foi 26 de julho de 2004. Quintana se casara no dia 26 de julho de 2003. Enquanto esperava na fila da revista de segurança, enquanto pegava *releases* no centro de imprensa, enquanto localizava meu assento e ficava de pé para a execução do hino nacional, enquanto comprava um hambúrguer no McDonald's do Fleet Center e me sentava no degrau mais baixo de uma escada para comê-lo, os detalhes surgiam novamente. "Em outro mundo", era a expressão que não saía de minha cabeça. Quintana sentada ao sol na sala de estar enquanto seu cabelo era trançado. John me perguntando qual de duas gravatas eu preferia. Eu abrindo as caixas de flores na grama do lado de fora da catedral e sacudindo a água das guirlandas. John fazendo um brinde antes de Quintana cortar o bolo. O prazer que ele teve com aquele dia, com a festa, com a felicidade transparente de Quintana.

"Mais do que um dia mais", ele sussurrara para ela antes de conduzi-la ao altar.

"Mais do que um dia mais", ele sussurrara para ela nos cinco dias e nas cinco noites que a visitou na UTI do Beth Israel North.

"Mais do que um dia mais", eu tinha sussurrado para ela em sua ausência nos dias e nas noites que se seguiram.

Como você costumava me dizer, dissera ela enquanto estava de pé com seu vestido preto na St. John the Divine no dia em que depositamos as cinzas dele na capela.

Eu me lembro de ser tomada pela convicção avassaladora de que precisava sair do Fleet Center naquele exato momento. Foram raras as vezes em que senti pânico, mas o que se instalou em seguida foi algo que poderia ser identificado assim. Eu me lembro de tentar me acalmar encarando tudo aquilo como um filme de Hitchcock, cada cena planejada para aterrorizar, mas no fim das contas apenas um artifício, um jogo. Havia, perto de onde eu deveria ficar, a rede que segurava os balões que cairiam do teto no final. Havia as silhuetas obscuras se movendo nas passarelas no alto. Havia o vapor ou a fumaça que vazava de um duto de ventilação acima dos camarotes. Havia, depois que saí de meu lugar, os corredores que pareciam não levar a lugar algum, misteriosamente vazios, as paredes inclinadas e distorcidas (o filme de Hitchcock que eu estava vendo tinha que ser *Quando fala o coração*) diante de mim. Havia as escadas rolantes paradas. Havia os elevadores que não respondiam ao botão pressionado. Havia, quando enfim consegui chegar lá embaixo, os trens vazios parados atrás de paredes de vidro (mais uma vez, inclinadas e distorcidas conforme eu me aproximava) cuja porta trancada dava para os trilhos da North Station.

Saí do Fleet Center.

Assisti ao fim da sessão daquela noite de convenção na televisão, em meu quarto no hotel Parker House. Eu tivera a impressão de ter, quando entrei pela primeira vez naquele quarto, no dia anterior, uma espécie de *déjà-vu*, que afastara de minha mente. Só naquele momento, enquanto assistia à C-SPAN e ouvia o ciclo do ar-condicionado armar e desarmar, foi que me lembrei: eu tinha ficado em um quarto exatamente como aquele no Parker House por algumas noites entre meu penúltimo e meu último ano em

Berkeley. Estivera em Nova York para um programa universitário promovido em parceria com a *Mademoiselle* na época (o "Editor Convidado" que Sylvia Plath imortalizou em seu romance *A redoma de vidro*) e estava voltando para a Califórnia via Boston e Quebec, um itinerário "educativo" planejado, em retrospecto de forma sonhadora, por minha mãe. O ar-condicionado armava e desarmava já em 1955. Lembrei-me de dormir até depois do meio-dia, infeliz, e em seguida pegar o metrô para Cambridge, por onde devo ter ficado caminhado sem rumo antes de tomar o metrô de volta.

Esses pedaços de 1955 chegavam a mim de forma tão fragmentada (ou "intermitente", ou até mesmo "turva") — o que fui fazer em Cambridge, o que poderia ter feito em Cambridge? — que tive dificuldade de me ater a essas lembranças, mas tentei, porque enquanto estivesse pensando no verão de 1955, eu não estaria pensando em John e Quintana.

No verão de 1955, peguei um trem de Nova York para Boston.

No verão de 1955, peguei outro trem de Boston para Quebec. Fiquei hospedada em um quarto do Château Frontenac que não tinha banheira.

Será que as mães sempre tentavam impor às filhas os itinerários que tinham sonhado para si mesmas?

Será que eu tinha feito isso?

Não estava funcionando.

Tentei voltar ainda mais no tempo, para antes de 1955, para Sacramento, para os bailes da escola na época de Natal.

Essa recordação me parecia segura. Lembrei-me de como dançávamos, colados. Lembrei-me dos lugares perto do rio para onde íamos depois dos bailes. Lembrei-me da névoa sobre o dique enquanto voltávamos de carro para casa.

Adormeci enquanto mantinha o foco no nevoeiro sobre o dique.

Acordei às quatro da manhã. O problema do nevoeiro sobre o dique era que não dava para ver a linha branca no asfalto, alguém tinha que ir andando à frente do carro para guiar o motorista. Infelizmente houvera outra ocasião em minha vida na qual o nevoeiro ficara tão denso que tive que andar na frente do carro.

A casa na península de Palos Verdes.

Aquela para a qual levamos Quintana quando ela tinha 3 dias de vida.

Quando saía da Harbor Freeway, passando por San Pedro, e continuava pela estrada sobre o mar, você se deparava com a cerração.

Você (eu) saía do carro para seguir a linha branca no asfalto.

O motorista do carro era John.

Não me arrisquei a esperar o pânico que viria em seguida. Tomei um táxi para o aeroporto de Logan. Enquanto comprava um café na Starbucks, no terminal da Delta, evitei olhar para a guirlanda decorativa feita de tiras de papel metalizado vermelho, branco e azul, presumivelmente concebida como um toque festivo no clima da convenção, mas que em vez disso cintilava melancolicamente, como o Natal nos trópicos. *Mele Kalikimaka*. Feliz Natal em havaiano. O pequeno despertador preto que eu não conseguia jogar fora. As canetas Buffalo, já secas, que eu não conseguia jogar fora. No voo para o aeroporto de LaGuardia, eu me lembro de pensar que as coisas mais bonitas que eu já tinha visto foram todas vistas da janela de um avião. A maneira como o Oeste americano se estende no espaço. A maneira como, em um voo polar sobre o Ártico, as ilhas no mar se convertem imperceptivelmente em lagos na terra. O mar entre a Grécia e Chipre de manhã. Os Alpes a caminho de Milão. Eu tinha visto todas essas coisas com John.

Como poderia voltar a Paris sem ele, como poderia voltar a Milão, Honolulu, Bogotá?

Eu não conseguia nem ir a Boston.

Mais ou menos uma semana antes da convenção democrata, Dennis Overbye, do *The New York Times*, escreveu uma matéria sobre Stephen W. Hawking. Em uma conferência em Dublin, de acordo com o *Times*, o dr. Hawking disse que, trinta anos antes, estava errado quando afirmou que a informação engolida por um buraco negro nunca mais poderia ser recuperada. Essa mudança de pensamento tinha "grandes consequências para a ciência", de acordo com o *Times*, "porque, se o dr. Hawking estivesse certo, ele teria violado um dos princípios básicos da física moderna: de que é sempre possível reverter o tempo, fazer voltar o filme proverbial e reconstruir o que aconteceu, por exemplo, na colisão entre dois carros ou no colapso de uma estrela morta que dá lugar a um buraco negro".

Eu tinha recortado essa matéria e a levara comigo para Boston.

Algo na história me parecera urgente, mas não soube o que era até um mês depois, na primeira tarde da convenção republicana no Madison Square Garden. Eu estava na escada rolante da Torre C. A última vez que eu estivera naquela escada rolante no Garden fora com John, em novembro, uma noite antes de viajarmos para Paris. Tínhamos ido, com David e Jean Halberstam, assistir ao jogo dos Lakers contra os Knicks. David conseguira os ingressos com o comissário da NBA, David Stern. Os Lakers venceram. A chuva escorria pelo vidro atrás da escada rolante. "É sinal de boa sorte, um bom presságio, uma bela maneira de começar essa jornada", eu me lembro de John dizer. Ele não estava se referindo aos bons lugares que conseguimos, à vitória dos Lakers ou à chuva, estava se referindo ao fato de estarmos fazendo juntos algo que não costumávamos fazer, o que tinha se tornado um problema para ele. Não estávamos nos divertindo mais, ele havia começado a observar recentemente. Eu ficava irritada (não fazíamos isso?, não fazíamos aquilo?), mas também sabia ao que ele estava se referindo. Ele estava se referindo a fazermos coisas não porque se esperava que as fizéssemos, porque sempre as tínhamos feito ou porque deveríamos fazê-las, mas porque queríamos fazê-las. Ele estava se referindo a desejar. Estava se referindo a viver.

Aquela viagem a Paris foi a viagem por causa da qual tínhamos brigado.

Aquela viagem a Paris foi a viagem que ele dissera que precisava fazer porque, caso contrário, nunca mais veria Paris.

Eu ainda estava na escada rolante da Torre C.

Outro vórtice se revelou.

A última vez que eu tinha feito a cobertura de uma convenção no Madison Square Garden havia sido na convenção democrata de 1992.

John esperava eu chegar em casa, por volta das vinte e três horas, para jantar comigo. Caminhávamos até o Coco Pazzo naquelas noites quentes de julho e dividíamos um prato de massa e uma salada em uma das pequenas mesas do bar. Acho que não discutimos a convenção nem uma vez sequer durante esses jantares tardios. Na tarde de domingo, antes de a convenção começar, eu o tinha convencido a ir até o norte de Manhattan comigo para um evento com Louis Farrakhan que nunca se materializou, e entre a natureza improvisada da programação e a caminhada de volta para o sul desde a 125th Street, sua tolerância em relação à convenção do Partido Democrata de 1992 se exauriu.

Ainda assim.

Ele me esperava todas as noites para jantar.

Pensei em tudo isso na escada rolante da Torre C e subitamente me ocorreu: eu tinha passado um ou dois minutos naquela escada rolante pensando na noite de novembro de 2003 antes de voarmos para Paris, naquelas noites de julho de 1992 quando jantávamos tarde no Coco Pazzo e na tarde que passáramos nos arredores da 125th Street esperando pelo evento com Louis Farrakhan que nunca aconteceu.

Eu tinha ficado naquela escada rolante pensando nos dias e nas noites sem considerar nem uma única vez que pudesse mudar seu desfecho. Percebi que desde a última manhã de 2003, a manhã depois que ele morreu, eu vinha tentando reverter o tempo, fazer o filme voltar.

Já tinham se passado oito meses, era 30 de agosto de 2004, e eu ainda estava tentando.

A diferença era que, ao longo daqueles oito meses, eu tentara substituir um rolo de filme por um rolo alternativo. Agora estava tentando apenas reconstruir a colisão, o colapso da estrela morta.

Eu disse que sabia ao que John se referia quando me disse que não estávamos nos divertindo.

Ele estava se referindo a algo que tinha a ver com Joe e Gertrude Black, um casal que conhecemos na Indonésia em dezembro de 1980. Estávamos no país em uma viagem da United States Information Agency, dando palestras e conhecendo escritores e acadêmicos indonésios. Os Black tinham aparecido em uma das salas de aula certa manhã, na Universidade Gadjah Mada, em Jogjacarta. Era um casal americano aparentemente em casa no remoto e em muitos aspectos estranho trópico da região central de Java, com rostos amigáveis e incrivelmente luminosos. "As teorias críticas do sr. I.A. Richards", eu me lembro de um estudante me perguntar naquela manhã. "O que acha?" Na época, Joe Black devia ter pouco mais de 50 anos, e Gertrude era um ou dois anos mais nova, mas suponho que também estivesse na casa dos 50. Ele tinha se aposentado da Fundação Rockefeller e fora para Jogjacarta para lecionar ciência política na Universidade de Gadjah Mada. Crescera em Utah. Quando jovem, tinha sido figurante no filme *Forte apache*, de John Wayne. Ele e Gertrude tinham quatro filhos, um dos quais, segundo ele, ficara profundamente impactado pelos anos 1960. Conversamos com os Black apenas duas vezes, uma vez na Gadjah Mada e um dia depois no aeroporto, quando foram se despedir de nós, mas cada uma dessas conversas fora curiosamente franca, como se tivéssemos os quatro isolados em uma ilha. Ao longo dos anos, John mencionava Joe e Gertrude Black com frequência, sempre de maneira exemplar, como o que ele considerava o melhor tipo de americanos. Eles representavam algo pessoal para ele. Eram modelos da vida que John desejava que vivêssemos um dia. Como os mencionara novamente poucos dias antes de morrer, procurei seus nomes no computador dele. Achei os nomes em um arquivo intitulado "AAA Pensamentos Aleatórios", um dos arquivos nos quais mantinha anotações para o livro que estava tentando escrever. A observação depois dos nomes deles era cifrada: "Joe e Gertrude Black: O conceito de serviço."

Eu sabia o que ele queria dizer com isso também.

Ele queria ser Joe e Gertrude Black. Eu também. Não conseguimos. "Dissipar" era uma das pistas das palavras cruzadas naquela manhã. A palavra correspondente tinha onze letras: "desperdiçar". Teria sido isso que fizemos? Era isso que ele achava que tínhamos feito?

Por que não o ouvi quando ele falou que não estávamos mais nos divertindo?

Por que não fiz um esforço para mudar nossa vida?

De acordo com os registros do computador, o arquivo "AAA Pensamentos Aleatórios" tinha sido alterado pela última vez às 13h08 do dia 30 de dezembro de 2003, o dia de sua morte, seis minutos depois que salvei o arquivo que terminava com "*Como uma "gripe" se transforma em uma infecção generalizada?*". Ele devia estar em seu escritório e eu no meu. Não posso evitar o lugar para onde isso me leva. Nós devíamos estar juntos. Não necessariamente em uma sala de aula no centro de Java (não tenho uma visão suficientemente ilusória de nós para vislumbrar esse cenário intacto, e uma sala de aula no centro de Java não era o que ele tinha em mente), mas juntos. O arquivo intitulado "AAA Pensamentos Aleatórios" tinha oitenta páginas. O que quer que ele tenha acrescentado ou corrigido ou salvado às 13h08 daquela tarde, não tenho como saber.

17

O SOFRIMENTO PELA PERDA acaba por se revelar um lugar que nenhum de nós conhece até chegar lá. Imaginamos (sabemos) que alguém próximo a nós pode morrer, mas não perscrutamos além dos poucos dias ou semanas que se seguem imediatamente a essa morte imaginária. Nós nos equivocamos até mesmo quanto à natureza desses poucos dias ou semanas. Podemos esperar, se a morte for súbita, um sentimento de choque. Mas não esperamos que esse choque seja destruidor, que desestabilize o corpo e a mente. Podemos imaginar ficar prostrados, inconsoláveis, enlouquecidos pela perda. Não esperamos ficar literalmente loucos, como a "mulher tranquila" que acredita que o marido vai voltar a qualquer momento e que vai precisar dos sapatos. Na versão do sofrimento que imaginamos, o modelo a seguir é a "cura". Um certo movimento adiante vai prevalecer. Os piores dias serão os primeiros. Imaginamos que o momento em que seremos postos à prova de maneira mais severa será o funeral, depois do qual a cura hipotética vai começar. Quando pensamos no funeral, nos perguntamos se vamos conseguir "passar por isso", estar à altura da ocasião, demonstrar a "força" que é invariavelmente mencionada como a reação correta diante da morte. Imaginamos ter que nos fortalecer para enfrentar esse momento: será que serei capaz de cumprimentar as pessoas, serei capaz de sair de lá depois, serei capaz de ao menos me vestir nesse dia? Não temos como saber que esse não vai ser o problema. Não temos como saber que o funeral em si será anódino, uma espécie de regressão narcótica durante a qual estaremos entregues aos cuidados dos outros, tomados pela gravidade e pelo significado da ocasião. Tampouco podemos saber antes do acontecimento em si (e eis aqui o cerne da diferença entre o sofrimento como o imaginamos e o sofrimento como ele é) a ausência infindável que se segue, o vazio, o oposto do sentido, a sucessão implacável de momentos durante os quais vamos nos confrontar com a própria experiência da ausência de sentido.

Quando era criança eu pensava muito na falta de sentido das coisas, que, naquela época, parecia o maior dos aspectos negativos em meu horizonte. Depois de alguns anos sem conseguir encontrar sentido nos locais mais comumente recomendados, descobri que podia encontrá-lo na geologia, e foi o que fiz. Isso, por sua vez, me permitiu encontrar sentido na litania episcopal, mais precisamente nas palavras *assim como era no princípio, agora e sempre, por todos os séculos dos séculos*, o que interpretei como uma descrição literal da constante mudança da Terra, a infindável erosão das costas e montanhas, o inexorável deslocamento das estruturas geológicas que podia fazer surgir montanhas e ilhas e, com a mesma segurança, fazê-las desaparecer. Eu considerava os terremotos, mesmo quando estava no meio deles, profundamente satisfatórios, evidências de repente reveladas do esquema em ação. O fato de que esse esquema podia destruir as obras do homem podia ser um pesar no âmbito pessoal, mas permanecia, na perspectiva mais ampla que passei a reconhecer, uma questão de indiferença eterna. Os olhos de Deus não contemplavam o pardal. Ninguém olhava por mim. *Assim como era no princípio, agora e sempre, por todos os séculos dos séculos.* No dia em que foi anunciado que a bomba atômica tinha sido lançada sobre Hiroshima, essas foram as palavras que vieram imediatamente à minha mente de criança de 10 anos. Alguns anos mais tarde, quando ouvi falar das nuvens em forma de cogumelo no campo de testes em Nevada, essas foram, mais uma vez, as palavras que me vieram à mente. Comecei a despertar antes do amanhecer, imaginando que as bolas de fogo dos testes em Nevada iam iluminar os céus de Sacramento.

Mais tarde, depois que me casei e tive uma filha, aprendi a encontrar um sentido equivalente nos rituais repetidos da vida doméstica. Pôr a mesa. Acender as velas. Acender a lareira. Cozinhar. Todos aqueles suflês, todo aquele *crème caramel*, todos os ensopados, almôndegas e guisados. Lençóis lavados, pilhas de toalhas limpas, luzes de emergência para tempestades, água e comida suficientes para nos manter durante qualquer evento geológico que tivéssemos que enfrentar. *Com tais fragmentos foi que escorei minhas ruínas,*[4] foram as palavras que me vieram à mente na época. Esses

---

4 Tradução de Ivan Junqueira, *in:* T.S. Eliot, *Obra completa – volume I: Poesia*. São Paulo: ARX, 2004.

fragmentos eram importantes para mim. Eu acreditava neles. O fato de que podia encontrar sentido na natureza intensamente pessoal da minha vida como esposa e mãe não me parecia inconciliável com a descoberta de sentido na vasta indiferença da geologia e dos testes nucleares; ambos os sistemas existiam para mim em trilhos paralelos, que ocasionalmente convergiam, em especial durante terremotos. Em minha mente havia sempre um ponto, a minha morte e a morte de John, no qual os trilhos iam convergir uma última vez. Na internet, encontrei recentemente fotos aéreas da casa na península de Palos Verdes na qual moramos depois de nos casar, a casa para a qual levamos Quintana quando fomos buscá-la no St. John's Hospital, em Santa Monica, e a colocamos no berço ao lado das glicínias no jardim. As fotografias, parte do projeto California Coastal Records, cujo objetivo era documentar todo o litoral californiano, eram difíceis de decifrar de maneira conclusiva, mas a casa como era quando moramos nela parecia ter desaparecido. A torre onde ficava o portão parecia intacta, mas o restante da estrutura não me era familiar. Parecia haver agora uma piscina onde antes ficavam as glicínias e o jardim. A área em si era identificada como "deslizamento de Portuguese Bend". Dava para ver a depressão no morro onde houvera o deslizamento. Também dava para ver, na base da falésia, a gruta para a qual costumávamos nadar quando a maré estava no ponto exato.

A ondulação da água cristalina.

Esse era um caminho para o qual meus dois sistemas podiam ter convergido.

Poderíamos estar nadando na gruta, com a ondulação da água cristalina, e tudo aquilo podia ter desmoronado, deslizando para o mar ao nosso redor. Todo aquele pontal deslizando para o mar à nossa volta era o tipo de conclusão que eu teria imaginado. Eu não havia imaginado um ataque cardíaco à mesa do jantar.

Você se senta para jantar, e a vida que você conhecia termina.
A questão da autopiedade.

Quem sofre a perda de uma pessoa amada pensa muito a respeito da autopiedade. Nós nos preocupamos com ela, a tememos, vasculhamos nossos pensamentos em busca de sinais dela. Temos medo de que nossas reações denunciem a condição descrita, de forma reveladora, como "remoer o sofrimento". Compreendemos a aversão que a maior parte de nós tem a "remoer o sofrimento". O luto visível nos lembra a morte, o que é considerado antinatural, uma incapacidade de lidar com a situação. "Uma única pessoa está ausente, mas o mundo inteiro parece vazio", escreveu Phillipe Ariès a respeito dessa aversão em *História da morte no Ocidente*. "Mas uma pessoa não tem mais o direito de dizê-lo em voz alta." Lembramos a nós mesmos, repetidas vezes, que nossa própria perda não é nada se comparada à perda vivenciada (ou, ainda pior, não vivenciada) por aquele que morreu; essa tentativa de corrigir o pensamento serve apenas para nos fazer mergulhar ainda mais nas profundezas da autopiedade. (*Por que não enxerguei isso, por que sou tão egoísta?*) A própria linguagem que usamos, quando pensamos na autopiedade, revela a profunda repulsa que sentimos por ela: autopiedade é *sentir pena de si mesmo*, autopiedade é *chupar dedo*, autopiedade é *ah, coitadinho de mim*, autopiedade é o estado que se *permitem*, ou do qual até mesmo se *comprazem*, aqueles que sentem pena de si mesmos. A autopiedade permanece ao mesmo tempo o mais comum e o mais universalmente abominado de nossos defeitos, sua destrutividade pestilenta aceita como algo inevitável. "Nosso pior inimigo", dizia Hellen Keller. *Nunca vi um animal selvagem/ sentir pena de si mesmo*, escreveu D.H. Lawrence em uma homilia de quatro versos muito citada que, quando analisada, se revela cheia de significados tendenciosos. *Um pequeno pássaro cairá morto de um galho, congelado,/ sem nunca ter sentido pena de si mesmo.*

Isso pode ser o que Lawrence (ou nós) preferia acreditar em relação aos animais selvagens, mas consideremos os golfinhos, que se recusam a comer depois da morte do parceiro. Consideremos os gansos, que procuram pelo parceiro perdido até ficarem desorientados e morrerem. Na verdade, quem sofre essa perda tem razões urgentes, até mesmo uma necessidade urgente, para sentir pena de si mesmo. Maridos saem de casa, esposas saem de casa, divórcios acontecem, mas esses maridos e essas esposas deixam para trás teias de associações intactas, por mais amargas que sejam. Apenas aqueles que sobrevivem a uma morte ficam de fato sozinhos. As conexões que constituíam sua vida — tanto as profundas quanto as aparentemente insignificantes (até serem rompidas) — desaparecem por inteiro. John e eu fomos casados por quarenta anos. Durante todo esse tempo, à exceção dos cinco primeiros meses de casamento, quando John ainda trabalhava na *Time*, ambos trabalhávamos em casa. Passávamos 24 horas por dia juntos, fato que permanecia ao mesmo tempo uma fonte de alegria e mau agouro para minha mãe e minhas tias. "Na riqueza e na pobreza, mas nunca no almoço", diziam elas com frequência nos primeiros anos de nosso casamento. Eu não seria capaz de contar quantas vezes em um dia normal acontecia algo que eu precisava contar a ele. Esse impulso não cessou com sua morte. O que cessou foi a possibilidade de resposta. Leio algo no jornal que normalmente teria lido para ele em voz alta. Noto alguma mudança na vizinhança que teria lhe interessado: o fato de a loja da Ralph Lauren ter passado a ocupar uma área maior entre a 71rst e a 72nd Street, por exemplo, ou o fato de o espaço onde costumava ficar a livraria Madison Avenue ter sido enfim alugado. Eu me lembro de voltar do Central Park certa manhã, em meados de agosto, com uma notícia importante para dar a ele: o verde intenso do verão desaparecera das árvores da noite para o dia, a estação já estava mudando. *Precisamos fazer planos para o outono*, eu me lembro de pensar. *Precisamos decidir onde vamos passar o Dia de Ação de Graças, o Natal, a passagem de ano.*

Estou deixando minhas chaves sobre a mesa, já dentro de casa, quando lembro. Não há ninguém para ouvir essa notícia, nenhum lugar para ir com os planos não feitos, os pensamentos incompletos. Ninguém para concordar, discordar, responder. "Acho que estou começando a entender por que o sofrimento da perda se parece com um estado de suspensão", C.S. Lewis escreveu depois da morte de sua esposa. "Porque resulta da frustração de tantos impulsos que tinham se tornado habituais. Pensamento após pensamento, sentimento após sentimento, ação após ação, tinham H. como objetivo. Agora o alvo se foi. Continuo, por hábito, posicionando a flecha no arco, então me lembro e a deposito no chão. Tantos caminhos me levam a H. que começo a percorrer um deles. Mas agora há uma barreira intransponível. Tantos caminhos antes, agora tantos becos sem saída."

Em outras palavras, somos deixados repetidas vezes sem nenhum outro foco que não seja nós mesmos, uma fonte da qual a autopiedade brota naturalmente. Toda vez que isso acontece (e ainda acontece), sou mais uma vez golpeada pela intransponibilidade permanente da fronteira entre a vida e a morte. Algumas pessoas que perderam o marido ou a esposa afirmam sentir sua presença, receber seus conselhos. Alguns dizem até mesmo vê-los, o que Freud descreveu, em *Luto e melancolia*, como "apego ao objeto por intermédio de uma psicose alucinatória cheia de desejo". Outros descrevem não uma aparição, mas apenas a "sensação muito forte de uma presença". Não vivenciei nada disso. Houve algumas ocasiões (o dia que decidiram fazer a traqueostomia no hospital da UCLA, por exemplo) nas quais simplesmente perguntei a John o que fazer. Disse que precisava de sua ajuda. Disse que não era capaz de fazer aquilo sozinha. Disse essas coisas em voz alta, pronunciando as palavras.

Sou escritora. Imaginar o que alguém diria ou faria é tão natural para mim quanto respirar.

Ainda assim, em cada uma dessas ocasiões, os apelos por sua presença serviram apenas para reforçar minha consciência do silêncio definitivo que nos separava. Qualquer resposta que ele pudesse dar existia apenas em minha imaginação, editada por mim. Imaginar o que ele poderia dizer apenas de acordo com minha edição seria obsceno, uma violação. Eu não sabia o que ele diria sobre a traqueostomia na UCLA mais do que sabia se ele tivera a intenção de deixar ou não o "a" de fora da frase sobre J.J. McClure, Teresa Kean e o furacão. Acreditávamos saber tudo que o outro pensava, mesmo quando não necessariamente queríamos saber, mas a verdade, acabei percebendo, era que não sabíamos nem uma ínfima fração do que havia para saber.

Se alguma coisa me acontecer, ele dizia com frequência.

Nada vai acontecer com você, eu respondia.

Mas se acontecer.

Se acontecer, ele continuava. Se acontecesse, por exemplo, eu não deveria me mudar para um apartamento menor. Se acontecesse, eu estaria cercada de pessoas. Se acontecesse, eu teria que fazer planos para alimentar essas pessoas. Se acontecesse, eu me casaria de novo em menos de um ano.

Você não entende, eu dizia.

E, de fato, ele não entendia. Nem eu: éramos igualmente incapazes de imaginar a realidade da vida sem o outro. Esta não será uma história na qual a morte do marido ou da esposa se transforma no equivalente à sequência de créditos para uma nova vida, um catalisador para a descoberta de que (uma questão tipicamente introduzida nessas histórias pelo filho precoce do enlutado) "é possível amar mais de uma pessoa". É claro que é possível, mas casamento é outra coisa. Casamento é memória, casamento é tempo. "Ela não conhecia as canções certas", eu me lembro de me contarem que o amigo de um amigo dissera depois de uma tentativa de repetir a experiência. Casamento não é apenas tempo: também é, paradoxalmente, a negação do tempo. Durante quarenta anos, vi a mim mesma através dos olhos de John. Não envelheci. Este ano, pela primeira vez desde que tinha 29 anos, eu me vi através dos olhos dos outros. Este ano, pela primeira vez desde que tinha 29 anos, eu me dei conta de que a imagem que eu tinha de mim mesma era de uma pessoa significativamente mais jovem. Este ano me dei conta de que uma das razões por que me deixava enredar tantas vezes pelas lembranças de Quintana aos 3 anos era esta: quando Quintana tinha 3 anos, eu tinha 34. Eu me lembro de Gerard Manley Hopkins: *Margaret, por que choras?/ Por Goldengrove, que perde suas folhas? [...] O mal de origem com que o homem nasce,/ Eis, Margaret, o que te entristece.*[5]

O mal de origem com que o *homem* nasce.

Nós não somos animais selvagens idealizados.

Somos seres mortais imperfeitos, conscientes dessa mortalidade mesmo quando a negamos, traídos por nossa própria complexidade, tão incorporada que quando chora-

5 Tradução de Aíla de Oliveira Gomes, *in:* Gerard Manley Hopkins, *Poemas*. São Paulo: Companhia das Letras, 1989.

mos a perda de seres amados também estamos chorando, para o bem ou para o mal, por nós mesmos. Pela perda daquilo que éramos. Do que não somos mais. Do que um dia não seremos de todo.

Elena sonhava com a morte.

Elena sonhava com envelhecer.

Não há ninguém aqui que não tenha tido (ou que não venha a ter) os sonhos de Elena.

O tempo é a escola na qual aprendemos/ O tempo é o fogo no qual ardemos: Delmore Schwartz, mais uma vez.

Eu me lembro de desprezar o livro que Caitlin, a viúva de Dylan Thomas, escreveu após a morte do marido, *Leftover Life to Kill*. Eu me lembro de menosprezar, até mesmo de censurar, sua "autopiedade", seus "lamentos", seu ato de "remoer o sofrimento". *Leftover Life to Kill* foi publicado em 1957. Eu tinha 22 anos. O tempo é a escola na qual aprendemos.

18

QUANDO COMECEI a escrever estas páginas, em outubro de 2004, eu ainda não compreendia como, por que ou quando John tinha morrido. Eu estava lá. Tinha observado enquanto a equipe de paramédicos tentava reanimá-lo. Mas ainda não sabia como, por que ou quando. No início de dezembro de 2004, quase um ano depois de sua morte, finalmente recebi o relatório da autopsia e os registros da emergência que tinha solicitado ao New York Hospital no dia 14 de janeiro, duas semanas depois de sua morte e um dia antes de contar a Quintana o que havia acontecido. Ao ler os relatórios, me dei conta de que uma das razões por que levei onze meses para recebê-los foi que eu mesma tinha escrito o endereço errado no formulário de requisição do hospital. Naquela época, já fazia dezesseis anos que eu morava no mesmo apartamento, na mesma rua, no Upper East Side de Manhattan. Entretanto, o endereço que dei ao hospital era em uma rua completamente diferente, onde John e eu moramos durante cinco meses logo depois de nos casarmos, em 1964.

Um médico a quem contei isso deu de ombros, como se eu tivesse acabado de lhe contar uma história familiar.

Ele disse que esses "déficits cognitivos" podiam estar associados ao estresse ou que esses déficits cognitivos podiam estar associados ao sofrimento por causa da perda.

Um dos indícios desses déficits cognitivos é que, poucos segundos depois de ele falar, eu não fazia ideia de qual das duas frases ele havia acabado de dizer.

De acordo com o relatório da equipe de enfermagem do setor de emergência, a chamada foi recebida às 21h15, na noite do dia 30 de dezembro de 2003.

De acordo com os registros mantidos pelo porteiro, a ambulância chegou cinco minutos depois, às 21h20. Durante os 45 minutos seguintes, de acordo com o relatório da equipe de enfermagem, os seguintes medicamentos foram administrados, seja por injeção direta ou por infusão intravenosa: atropina (três vezes), adrenalina (três vezes), vasopressina (quarenta unidades), amiodarona (trezentos miligramas), alta dose de adrenalina (três miligramas) e alta dose de adrenalina novamente (cinco miligramas). De acordo com os mesmos documentos, o paciente foi entubado no local. Eu não me lembro dele sendo entubado. Pode ser um erro da parte de quem redigiu o documento ou pode ser mais um déficit cognitivo.

De acordo com o registro do porteiro, a ambulância partiu para o hospital às 22h05.

De acordo com o relatório da equipe de enfermagem do setor de emergência, o paciente chegou para triagem às 22h10. Foi descrito como assistólico e apneico. Não havia pulso palpável. Não havia pulso aferível por ausculta. A condição mental era não responsivo. A coloração da pele era pálida. A pontuação na escala de Glasgow era 3, a mais baixa possível, que indicava que as reações visuais, verbais e motoras estavam todas ausentes. Foram observadas lacerações na lateral direita da testa e na ponte do nariz. Ambas as pupilas estavam sem reação e dilatadas. Foi observada "lividez".

De acordo com o relatório da equipe médica, o paciente foi visto às 22h15. As observações do médico terminavam assim: "Parada cardíaca. Morto ao chegar — provável enfarte agudo do miocárdio. Declarado morto às 22h18."

De acordo com o relatório da equipe de enfermagem, o acesso intravenoso e o tubo foram retirados às 22h20. Às 22h30, a observação era: "Esposa junto ao leito — George, assistente social, junto ao leito com a esposa."

De acordo com o laudo da autópsia, exames mostraram uma estenose de mais de 95 por cento tanto da artéria coronária esquerda quanto da artéria descendente anterior esquerda. O exame também mostrou "discreta palidez do miocárdio quando submetido ao tingimento por cloreto de tetrazólio, indicativa de enfarte agudo na área irrigada pela artéria descendente anterior esquerda".

Li esses documentos diversas vezes. O tempo transcorrido indicava que o curto período passado no New York Hospital tinha sido, como eu imaginara, dedicado apenas a questões burocráticas, procedimentos hospitalares, regularização da morte. Ainda assim, cada vez que lia os documentos oficiais, eu notava um novo detalhe. Em minha primeira leitura do relatório da equipe médica, não havia notado, por exemplo, as palavras "morto ao chegar". Em minha primeira leitura do relatório da equipe médica, eu provavelmente ainda estava assimilando o relatório da equipe de enfermagem.

Pupilas "fixas e dilatadas".

Sherwin Nuland: "Os jovens homens e mulheres perseverantes veem as pupilas do paciente deixarem de reagir à luz e em seguida se dilatarem, formando grandes círculos fixos de uma escuridão impenetrável. Relutantes, eles interrompem seus esforços [...] A sala está repleta dos destroços da batalha perdida."

Grandes círculos fixos de uma escuridão impenetrável.

Sim. Tinha sido isso que a equipe de paramédicos vira nos olhos de John, no chão de nossa sala de estar.

"Lividez". Lividez post mortem.

Eu sabia o que "lividez" significava porque é uma palavra comum nos necrotérios. Os detetives apontam sua presença. Pode ser uma maneira de determinar a hora da morte. Depois que a circulação é interrompida, o sangue segue o curso da gravidade, depositando-se onde quer que o corpo esteja apoiado. Há um tempo determinado para que esse sangue acumulado fique visível a olho nu. O que eu não conseguia me lembrar era quanto tempo. Procurei "lividez" no livro de patologia forense que John guardava na estante acima de sua mesa. "Embora a lividez seja variável, ela geralmente começa a se formar logo após a morte, e em geral fica claramente perceptível dentro de uma ou duas horas."

Se a lividez estava claramente perceptível para os enfermeiros da emergência às 22h10, então devia ter começado a se formar uma hora antes.

Uma hora antes foi quando eu chamei a ambulância.

O que significava que ele já estava morto.

Depois daquele instante à mesa de jantar ele nunca mais deixou de estar morto.

Agora eu sei como vou morrer, dissera John em 1987 depois que a artéria descendente anterior esquerda tinha sido desobstruída por uma angioplastia.

Você não sabe como vai morrer mais do que eu ou qualquer outra pessoa, respondera eu em 1987.

Nós a chamamos de fazedora de viúvas, meu amigo, seu cardiologista em Nova York dissera sobre a artéria descendente anterior esquerda.

Ao longo do verão e do outono, fui ficando cada vez mais determinada a identificar a anomalia que permitira que aquilo acontecesse.

Em minha mente racional, eu sabia como tinha acontecido. Em minha mente racional, eu havia falado com muitos médicos que me explicaram como tinha acontecido. Em minha mente racional, eu lera David J. Callans no *New England Journal of Medicine*: "Embora a maioria dos casos de morte súbita devido a problemas cardíacos envolva pacientes com doenças coronarianas preexistentes, a parada cardíaca é a primeira manifestação desse problema subjacente em cinquenta por cento dos casos [...] A parada cardíaca súbita é, primariamente, um problema em pacientes fora do hospital; de fato, aproximadamente oitenta por cento dos casos de morte súbita de causas cardíacas acontecem em casa. A taxa de sucesso na reanimação de pacientes que sofrem paradas cardíacas fora do hospital é mínima, em média de dois a cinco por cento nos grandes centros urbanos [...] Tentativas de reanimação iniciadas depois de oito minutos estão quase sempre destinadas a fracassar." Em minha mente racional, eu tinha lido Sherwin Nuland em *Como morremos*: "Quando uma parada cardíaca ocorre fora do hospital, apenas de vinte a trinta por cento dos pacientes sobrevivem, e estes são quase sempre aqueles que respondem rapidamente às manobras de reanimação. Se não tiver havido resposta até o momento da chegada à emergência, a probabilidade de sobrevivência é praticamente nula."

Minha mente racional sabia disso.

Eu não estava, no entanto, usando minha mente racional.

Se estivesse usando minha mente racional, eu não estaria alimentando fantasias que seriam adequadas ao contexto de um funeral irlandês. Eu não teria, por exemplo, vivenciado, quando fiquei sabendo da morte de Julia Child, um alívio tão nítido, uma sensação tão evidente de que as coisas enfim iam dar certo: John e Julia Child poderiam jantar juntos (este tinha sido meu pensamento imediato), ela poderia cozinhar, ele poderia perguntar a ela sobre o Escritório de Serviços Estratégicos do governo dos Estados Unidos, eles se divertiriam juntos, gostariam um do outro. Uma vez tomaram um café da manhã juntos, em uma temporada durante a qual ambos estavam promovendo seus livros. Ela dera a ele um exemplar autografado de *The Way to Cook*.

Encontrei o exemplar na cozinha e li a dedicatória.

"*Bon appétit* para John Gregory Dunne", estava escrito.

Bon appétit para John Gregory Dunne, Julia Child e o Escritório de Serviços Especiais.

Se estivesse usando minha mente racional, tampouco teria dedicado tanta atenção a histórias de "saúde" na internet e a comerciais de medicamentos na televisão. Eu me inquietei, por exemplo, com um comercial da Bayer para uma aspirina de baixa dosagem que supostamente "reduzia de maneira significativa" o risco de ataque cardíaco. Eu sabia perfeitamente bem como a aspirina reduzia o risco de ataque cardíaco: impedindo que o sangue coagulasse. Também sabia que John estava tomando varfarina, um anticoagulante muito mais poderoso. No entanto, fui tomada pela possível insensatez de ter deixado passar a aspirina de baixa dosagem. Inquietei-me da mesma maneira por um estudo realizado pela Universidade da Califórnia em San Diego e pela Tufts University que mostrava um aumento de 4,65 por cento no número de mortes por doença cardíaca durante o período de catorze dias que compreendia o Natal e o Ano-novo. Inquietei-me com um estudo da Vanderbilt University que demonstrava que a eritromicina quintuplicava o risco de parada cardíaca se tomada em conjunto com remédios comuns para o coração. Inquietei-me com um estudo sobre estatinas, e o aumento de trinta a quarenta por cento no risco de ataque cardíaco para pacientes que paravam de tomá-las.

Quando me lembro disso, me dou conta de como somos vulneráveis à persistente mensagem de que podemos evitar a morte.

E a seu correlato punitivo: a mensagem que diz que se a morte nos alcança, só podemos culpar a nós mesmos.

Só depois de ler o laudo da autópsia comecei a acreditar no que tinha ouvido repetidas vezes: nada do que ele ou eu tivéssemos feito ou deixado de fazer poderia causar ou prevenir sua morte. Ele tinha herdado um coração ruim. Que um dia acabaria por matá-lo. A data em que isso aconteceria já tinha sido adiada diversas vezes por meio de intervenções médicas. Quando esse dia enfim chegou, nada do que eu pudesse ter feito em nossa sala de estar — nenhum desfibrilador doméstico, nenhuma manobra de reanimação, nada a não ser um carrinho de suporte vital completamente equipado e o aparato técnico necessário para injetar medicação intravenosa segundos depois da cardioversão — teria dado a ele um dia a mais.

O dia mais de *eu te amo mais do que apenas um dia mais.*
Como você costumava me dizer.

Só depois de ler o relatório da autópsia parei de tentar reconstruir a colisão, o colapso da estrela morta. O colapso estivera lá o tempo todo, invisível, insuspeitado.

Uma estenose de mais de 95 por cento tanto da artéria coronária esquerda quanto da artéria descendente anterior esquerda.

Enfarte agudo na área irrigada pela artéria descendente anterior esquerda.

Este era o cenário. A artéria descendente anterior esquerda tinha sido consertada em 1987, e assim permaneceu até todos nos esquecermos dela e ela ficar defeituosa novamente. *Nós a chamamos de fazedora de viúvas, meu amigo*, dissera o cardiologista em 1987.

Eu lhes digo que não viverei dois dias, falara Gawain.

Se alguma coisa me acontecer, dissera John.

19

Tenho dificuldade de pensar em mim mesma como viúva. Eu me lembro de hesitar na primeira vez que tive que marcar essa opção de "estado civil" em um formulário. Também tinha dificuldade de pensar em mim mesma como uma esposa. Considerando o valor que eu atribuía aos rituais da vida doméstica, o conceito de "esposa" não deveria ser algo problemático, mas era. Durante muito tempo, depois que nos casamos, tive dificuldades com a aliança. Ficava larga a ponto de escorregar de meu dedo anelar esquerdo, então durante um ano ou dois, usei-a na mão direita. Depois que queimei o dedo direito tirando um tabuleiro do forno, pus a aliança em uma corrente de ouro ao redor do pescoço. Quando Quintana nasceu e alguém lhe deu de presente um anel, também o coloquei na corrente.

Parecia funcionar.

Ainda uso os anéis dessa forma.

"Você quer um tipo diferente de esposa", eu dizia com frequência a John nos primeiros anos de casamento. Costumava dizer isso no caminho de volta para Portuguese Bend, depois de jantarmos na cidade. Era, quase sempre, a saraivada inicial daquelas discussões que começavam quando passávamos pelas refinarias às margens da San Diego Freeway. "Você devia ter se casado com alguém mais parecido com Lenny." Lenny era minha cunhada, esposa de Nick. Lenny sabia receber, saía para almoçar com as amigas, administrava a casa sem esforço, usava belos vestidos e terninhos franceses e sempre estava disponível para dar uma olhada em uma casa, organizar um chá de bebê ou levar visitantes de fora da cidade para a Disneylândia. "Se eu quisesse me casar com alguém mais parecido com Lenny, teria me casado com alguém mais parecido com Lenny", dizia John, primeiro com paciência, depois não tanto.

Na verdade, eu não tinha a menor ideia de como ser uma esposa.

Naqueles primeiros anos, punha margaridas nos cabelos, tentando um efeito "noiva".

Mais tarde, mandei fazer saias xadrez combinando para mim e para Quintana, tentando parecer uma "jovem mãe".

Minha memória daqueles anos é que tanto John quanto eu estávamos improvisando, voando às cegas. Quando estava esvaziando uma gaveta de arquivos recentemente, encontrei uma pasta grossa com a etiqueta "Planejamento". O simples fato de termos pastas com a etiqueta "Planejamento" sugere quão pouco planejávamos. Também fazíamos "reuniões de planejamento", que consistiam em nos sentarmos com blocos de anotação, relatarmos os problemas do dia em voz alta e então, sem mais tentativas de resolvê-los, sair para almoçar. Esses almoços eram festivos, como se estivéssemos celebrando um trabalho bem-feito. O Michael's, em Santa Monica, era um dos locais a que costumávamos ir. Nessa pasta de "Planejamento" encontrei várias listas de Natal da década de 1970, alguns recados de ligações telefônicas e, o grosso do arquivo, muitas anotações, também datadas da década de 1970, relativas a projeções de despesas e rendimentos. Um ar de desespero permeia essas anotações. Havia uma, feita para uma reunião com Gil Frank, em 9 de abril de 1978, quando estávamos tentando vender a casa em Malibu para pagar pela casa em Brentwood Park pela qual já tínhamos dado uma entrada de 50 mil dólares. Não conseguíamos vender a casa em Malibu porque chovera durante toda aquela primavera, houvera um deslizamento e a Pacific Coast Highway estava fechada. Ninguém podia nem mesmo olhar a casa, a não ser que já estivesse na parte de Malibu que não tinha sido afetada pelo deslizamento. Durante algumas semanas, tivemos apenas um interessado, um psiquiatra que morava em Malibu Colony. Ele deixou os sapatos do lado de fora, na chuva inclemente, para "sentir o astral da casa", andou descalço pelo chão de ladrilhos e disse ao filho, que disse a Quintana, que a casa era "fria". Eis a anotação feita em 19 de abril daquele ano: *Devemos supor que não conseguiremos vender a casa antes do fim do ano. Temos que pensar no pior, de forma que qualquer desdobramento nos pareça positivo.*

Uma anotação feita uma semana depois, e que só consigo imaginar que tenha sido para uma "reunião de planejamento": *Discutir: Desistir de Brentwood Park? Perder os 50 mil dólares?*

Duas semanas depois pegamos um voo para Honolulu, com o objetivo de fugir da chuva e pensar em nossas escassas opções. Na manhã seguinte, quando voltamos para o hotel depois de termos saído para nadar, havia uma mensagem: o sol voltara a brilhar em Malibu e tínhamos recebido uma oferta pela casa dentro do preço que tínhamos pedido.

O que nos teria levado a pensar que um resort em Honolulu era o lugar ideal para resolver nossos problemas de dinheiro?

Que lições teremos tirado do fato de aquilo ter acabado funcionando?

Vinte e cinco anos depois, quando nos confrontamos com problemas de dinheiro similares, e de maneira similar resolvemos pensar melhor em tudo em Paris, como pudemos encarar aquilo como uma economia apenas porque conseguimos uma das passagens de Concorde de graça?

Na mesma gaveta de arquivos encontrei alguns parágrafos que John escrevera em 1990, em nosso aniversário de 26 anos de casamento. "Ela usou óculos escuros durante toda a cerimônia no dia em que nos casamos, na pequena igreja da missão de San Juan Bautista, na Califórnia; também chorou durante toda a cerimônia. Enquanto caminhávamos juntos pela nave da igreja, prometemos um ao outro que poderíamos desistir do casamento na semana seguinte, sem ter que esperar até que a morte nos separasse."

Isso também funcionou. De alguma maneira, tudo tinha funcionado.

Por que eu achara que toda essa improvisação nunca teria fim?

Se eu tivesse percebido que podia ter fim, o que teria feito diferente?

O que ele teria feito diferente?

20

ESCREVO AGORA à medida que o fim do primeiro ano se aproxima. O céu em Nova York ainda está escuro quando acordo, às sete horas, e escurece novamente por volta das dezesseis. Há luzinhas coloridas de Natal em ramos de marmelo na sala de estar. Também havia luzinhas coloridas de Natal em ramos de marmelo um ano atrás, na noite em que aconteceu, mas na primavera, não muito tempo depois que trouxe Quintana de volta para casa do hospital da UCLA, as luzinhas tinham queimado, deixado de funcionar. Isso serviu como um símbolo. Comprei novos fios de luzinhas coloridas. Isso funcionou como uma afirmação de fé no futuro. Aproveito as oportunidades de fazer essas afirmações de fé sempre que posso inventá-las, já que, na verdade, ainda não sinto de fato essa fé no futuro.

Percebo que perdi as habilidades para os encontros sociais corriqueiros, por menos desenvolvidas que essas habilidades pudessem ser um ano antes. Durante a convenção do Partido Republicano, fui convidada para uma pequena reunião no apartamento de uma amiga. Fiquei feliz por ver minha amiga e o pai dela, que era o motivo da festa, mas achei difícil conversar com as outras pessoas. Quando estava indo embora, percebi que havia agentes do Serviço Secreto por lá, mas faltou-me paciência para ficar mais tempo e descobrir quem era a pessoa importante que ia chegar. Em outra noite, durante a convenção republicana, fui a uma festa organizada pelo *The New York Times* no edifício da Time Warner. Havia velas e gardênias flutuando em cubos de vidro. Eu não conseguia me concentrar na pessoa com quem estava conversando. Só conseguia pensar nas gardênias sendo sugadas pelo filtro da piscina na casa de Brentwood Park.

Nessas ocasiões, eu me vejo tentando fazer um esforço e fracassando.

Percebo que me levanto da mesa depois do jantar de forma demasiado abrupta.

Também reparo que não tenho mais a resiliência que tinha um ano antes. Depois de um certo número de crises, o mecanismo que inundava a situação de adrenalina se esgota. A capacidade de mobilização deixa de ser confiável, se torna lenta ou inexistente. Em agosto e setembro, depois das convenções democrata e republicana, mas antes da eleição, escrevi um artigo pela primeira vez depois da morte de John. Era sobre a campanha. Era o primeiro texto que escrevia desde 1963 cujo rascunho ele não ia ler para me dizer o que havia de errado, o que estava faltando, como elevar o tom em uma parte e baixar em outra. Nunca escrevi artigos com fluidez, mas aquele parecia estar levando ainda mais tempo do que o habitual: a certa altura, me dei conta de que não queria terminá-lo porque não havia ninguém para lê-lo. Repetia para mim mesma que tinha um prazo, que John e eu nunca perdíamos prazos. O que quer que tenha feito para terminar aquele texto foi o mais próximo que cheguei de imaginar uma mensagem dele. A mensagem era simples: *Você é uma profissional. Termine o artigo.*

Eu me dou conta de que só nos permitimos imaginar as mensagens das quais precisamos para sobreviver.

A traqueostomia no hospital da UCLA, reconheço agora, ia acontecer com ou sem mim.

O fato de Quintana retomar sua vida, reconheço agora, ia acontecer com ou sem mim.

Terminar aquele texto, ou seja, retomar a minha própria vida, não.

Quando revisei o texto para publicação, fiquei perplexa e perturbada com a quantidade de erros que tinha cometido: erros simples de transcrição, nomes e datas incorretos. Disse a mim mesma que aquilo era temporário, parte do problema de mobilização, mais uma evidência dos déficits cognitivos que vinham com o estresse e o sofrimento pela perda, mas continuei inquieta. Será que um dia voltaria a ficar bem? Será que um dia voltaria a confiar em mim mesma?

Você sempre tem que estar certa?, dissera ele.

É impossível para você considerar a possibilidade de estar errada?

Cada vez mais me pego concentrada nas semelhanças entre estes dias de dezembro e os mesmos dias de dezembro um ano atrás. De certa maneira, esses mesmos dias um ano atrás têm mais clareza para mim, mais nitidez. Faço muitas das mesmas coisas. Faço as mesmas listas de coisas por fazer. Embrulho os presentes de Natal com os mesmos papéis de seda coloridos, escrevo as mesmas mensagens nos mesmos postais da lojinha de presentes do Whitney Museum, prendo os postais no papel colorido com os mesmos selos dourados. Preencho os mesmos cheques para os funcionários do prédio, a não ser pelo fato de que os cheques agora vêm com apenas meu nome impresso. Eu não teria mudado os cheques (assim como não teria mudado a voz na secretária eletrônica), mas fui informada de que era essencial que o nome de John aparecesse agora apenas nas contas fiduciárias. Encomendo o mesmo tipo de presunto na Citarella. Preocupo-me da mesma maneira com o número de pratos de que vou precisar na véspera de Natal, conto-os e reconto-os. Mantenho minha consulta anual com o dentista em dezembro e me dou conta, quando estou colocando na bolsa as amostras de escova de dente, de que não vai haver ninguém à minha espera na recepção, lendo os jornais antes de irmos tomar o café da manhã no 3 Guys, na Madison Avenue. A manhã fica vazia. Quando passo diante do 3 Guys, desvio o olhar. Uma amiga me convida para ir com ela ouvir o concerto de Natal na St. Ignatius Loyola, e voltamos andando para casa no escuro e debaixo de chuva. Naquela noite, caem os primeiros flocos de neve, mas apenas uma camada fina, não a avalanche deslizando do telhado da St. James', como no dia de meu aniversário um ano atrás.

Meu aniversário um ano atrás, quando recebi o último presente que John ia me dar.

Meu aniversário um ano atrás, quando ainda lhe restavam 25 noites de vida.

Na mesa diante da lareira, percebo algo fora do lugar na pilha de livros perto da poltrona na qual John costumava se sentar para ler quando acordava no meio da noite. Deixei deliberadamente essa pilha intocada, não por causa do impulso de construir um santuário, mas porque não achava que suportaria examinar o que ele lia no meio da noite. Alguém tinha colocado no alto da pilha, em um equilíbrio precário, um grande livro de arte ilustrado, *The Agnelli Gardens at Villar Perosa*. Afasto-o. Debaixo dele há um exemplar profusamente sublinhado de *Cinco dias em Londres*, de John Lukacs, dentro do qual há um marcador plastificado no qual está escrito, em uma caligrafia infantil: *John — boa leitura para você — do John, 7 anos*. Em um primeiro momento, o marcador, que por baixo da plastificação está salpicado de purpurina rosa, me deixa confusa, então me lembro: a Creative Artists Agency tem como projeto de Natal, todos os anos, "adotar" um grupo de crianças de Los Angeles, cada uma das quais, por sua vez, faz uma lembrança para um dos clientes da agência.

Ele devia ter aberto a caixa enviada pela agência na noite de Natal.

E devia ter enfiado o marcador dentro de qualquer livro que estivesse no topo da pilha.

Ainda lhe restavam 120 horas de vida.

Como ele teria escolhido viver essas 120 horas?

Debaixo do exemplar de *Cinco dias em Londres*, há um exemplar da *New Yorker* datado de 5 de janeiro de 2004.

Um exemplar da *New Yorker* com essa data teria sido entregue em nosso apartamento no domingo, 28 de dezembro de 2003. No domingo, 28 de dezembro de 2003, de acordo com o calendário de John, jantamos em casa com Sharon DeLano, que fora sua editora na Random House e que, na época, era sua editora na *New Yorker*. Nós provavelmente jantamos na mesa na sala. De acordo com meu caderno anotações da cozinha, comemos *linguine* com molho à bolonhesa, salada, queijo e uma baguete. Àquela altura, ainda lhe restavam 48 horas de vida.

Uma premonição em relação a esse cronograma tinha sido o motivo por que de início não quis tocar naquela pilha de livros.

Acho que não consigo suportar isso, dissera ele no táxi enquanto voltávamos do Beth Israel North naquela noite ou na noite seguinte. Ele estava se referindo ao estado em que mais uma vez deixamos Quintana no hospital.

Você não tem escolha, foi minha resposta.

Desde então eu me pergunto se ele teve.

21

"ELA CONTINUA BONITA", dissera Gerry quando ele, eu e John deixamos Quintana na UTI do Beth Israel North.

"Ele disse que ela continua bonita", falou John no táxi. "Você ouviu quando ele disse isso? Que ela continua bonita? Ela está deitada lá, inchada e conectada a um monte de tubos e ele disse..."

Ele não conseguiu continuar.

Isso aconteceu em uma daquelas últimas noites de dezembro antes de John morrer. Se aconteceu no dia 26, no dia 27, no dia 28 ou no dia 29, eu não tenho ideia. Não aconteceu no dia 30, porque Gerry já havia deixado o hospital quando chegamos lá no dia 30. Percebo que grande parte de minha energia nos últimos meses foi dedicada a contar os dias e as horas de trás para a frente. Naquele momento em que estávamos no táxi voltando do Beth Israel North e ele disse que nada do que tinha feito tinha valor, teria mais três ou mais 27 horas de vida? Será que sabia quão poucas horas ainda lhe restavam, será que sentia a si mesmo indo embora, será que estava dizendo que não queria partir? *Não deixe o Homem Partido me pegar*, Quintana dizia quando acordava de um pesadelo, uma das frases que John colocou na caixa e emprestou para Cat em *Dutch Shea, Jr.* Eu prometera a ela que não deixaríamos que o Homem Partido a pegasse.

Você está segura.

Eu estou aqui.

Eu acreditava que tínhamos esse poder.

Agora o Homem Partido estava na UTI do Beth Israel North esperando por ela, agora o Homem Partido estava naquele táxi esperando por seu pai. Mesmo aos 3 ou 4 anos, ela já sabia que, no que dizia respeito ao Homem Partido, podia contar apenas com seus próprios esforços: *Se o Homem Partido vier, eu me agarro à cerca e não deixo ele me levar.*

Ela se agarrou à cerca. Seu pai não.

Eu lhes digo que não viverei dois dias.

O que confere tanta nitidez àqueles dias de dezembro, um ano atrás, é seu fim.

Como neta de um geólogo, aprendi desde cedo a considerar a absoluta mutabilidade das colinas, das quedas d'água e até mesmo das ilhas. Quando uma colina se afunda no mar, vejo ordem nisso. Quando um terremoto de 5.2 na escala Richter faz estremecer a mesa de trabalho em meu escritório, em minha casa, em minha rua, a Welbeck Street, continuo escrevendo. Uma colina é uma acomodação transitória ao estresse, e o ego pode ser uma acomodação similar. Uma queda d'água é um desajuste autocorretivo do fluxo em relação à estrutura, assim como, pelo menos para mim, a técnica. A ilha para a qual Inez Victor voltou na primavera de 1975 — Oahu, uma massa de terra emergente pós-erosional situada em plena cordilheira havaiana — é uma formação temporária, e qualquer tempestade ou tremor nas placas do Pacífico altera sua forma e encurta seu reinado como Encruzilhada do Pacífico. Tendo isso em mente, é difícil manter convicções definitivas sobre o que aconteceu por lá na primavera de 1975, ou antes.

———

Essa passagem é do começo de um romance que escrevi no início da década de 1980: *Democracy*. Foi John quem deu o título. Eu tinha começado o livro como uma comédia de costumes familiar, com o título de *Angel Visits*, uma expressão definida pelo *Brewer's Dictionary of Phrase and Fable* como "interação agradável de curta duração e ocorrência rara", mas quando ficou claro que o livro ia em outra direção, continuei a escrever sem ter um título. Quando terminei, John leu o manuscrito e disse que o título deveria ser *Democracy*. Consultei essa passagem depois que um terremoto de 9.0 na escala Richter ao longo de um trecho de 970 quilômetros na zona de subducção de Sumatra provocou um tsunami que arrasou áreas inteiras da costa do oceano Índico.

Não consigo parar de pensar nesse acontecimento.

Não há vídeos do que tento imaginar. Não há praias, piscinas inundadas, saguões de hotel sendo derrubados como estacas de madeira podre em uma tempestade. O que quero ver aconteceu debaixo da superfície. A placa indiana se curvando à medida que é empurrada para baixo da placa da Birmânia. A corrente avançando, invisível, pelas águas profundas. Não tenho um mapa de profundidades do oceano Índico, mas consigo ter uma ideia geral com a ajuda de meu globo terrestre de cartolina Randy McNally. A 780 metros diante da costa de Banda Aceh. Dois mil e trezentos metros entre Sumatra e o Sri Lanka. Dois mil e cem metros entre as ilhas Andaman e a Tailândia e, em seguida, a profundidade vai se reduzindo até Phuket. O momento em que a linha frontal da corrente invisível teve sua velocidade diminuída pela plataforma continental. O acúmulo de água quando o fundo da plataforma começou a transbordar.

Assim como era no começo, agora e sempre, por todos os séculos dos séculos.

Hoje é 31 de dezembro de 2004. Um ano e um dia.

No dia 24 de dezembro, véspera de Natal, recebi algumas pessoas para jantar, assim como John e eu tínhamos feito na véspera de Natal no ano anterior. Disse a mim mesma que estava fazendo isso por Quintana, mas também estava fazendo isso por mim mesma, uma promessa de que não ia passar o restante da vida sendo um caso especial, uma convidada, alguém que não conseguia funcionar sozinha. Acendi a lareira e as velas, arrumei pratos e talheres no bufê na sala de jantar. Separei alguns CDs, Mabel Mercer cantando Cole Porter, Israel Kamakawiwo'ole cantando "Over the Rainbow" e uma pianista de jazz israelense chamada Liz Magnes tocando "Someone to Watch Over Me". Certa vez, John se sentara ao lado de Liz Magnes em um jantar na missão israelita, e ela lhe enviara o CD, um concerto de Gershwin que fizera em Marraquexe. Com sua capacidade de evocar noites de drinques no King David Hotel em Jerusalém durante o período britânico, esse CD parecera a John algo espectral e interessante, uma evidência recuperada da existência de um mundo perdido, mais uma reverberação da Primeira Guerra Mundial. Ele se referia ao CD como "a música do Mandato Britânico". Ele o havia colocado para tocar enquanto lia antes do jantar na noite em que morreu.

Quando eram cerca de dezessete horas do dia 24, achei que não seria capaz de sobreviver àquela noite, mas, quando chegou a hora, a noite fluiu por conta própria.

Susanna Moore enviou colares de flores de Honolulu para sua filha Lulu, para Quintana e para mim. Nós os colocamos. Outra amiga levou uma casinha de biscoito de gengibre. Havia muitas crianças. Coloquei "a música do Mandato" para tocar, embora o nível de barulho fosse tal que ninguém a ouviu.

Na manhã de Natal, guardei os pratos e talheres e, à tarde, fui até a St. John the Divine, onde havia basicamente turistas japoneses. Sempre havia turistas japoneses na St. John the Divine. Na tarde em que Quintana se casou, havia turistas japoneses tirando fotos quando ela e Gerry deixaram o altar. Na tarde em que depositamos as cinzas de John na capela ao lado do altar principal, um ônibus de turistas japoneses vazio tinha pegado fogo e queimava do lado de fora, uma coluna de fumaça se elevando na Amsterdam Avenue. No dia de Natal, a capela ao lado do altar principal estava fechada por causa das obras de reconstrução da catedral. Um segurança me levou até lá dentro. A capela estava vazia, ocupada apenas por andaimes. Eu me abaixei para passar por baixo de um deles e encontrei a lápide de mármore com os nomes de John e de minha mãe. Coloquei o colar de flores em um dos parafusos de chumbo que prendiam a lápide ao jazigo e, em seguida, saí da capela para a nave, percorrendo o corredor principal na direção da grande rosácea.

Enquanto caminhava, mantinha os olhos na rosácea, meio cega por seu brilho, mas determinada a manter o olhar fixo até chegar o momento em que, à medida que se aproximava, o vitral parecia explodir de luz, preenchendo todo o meu campo de visão de azul. O Natal das canetas Buffalo, do despertador preto e dos fogos de artifício por toda Honolulu, o Natal de 1990, o Natal no qual John e eu estávamos escrevendo o roteiro da refilmagem que nunca chegou a ser feita, envolvia aquela rosácea. Tínhamos ambientado o desfecho do filme na St. John the Divine, colocando uma bomba de plutônio na torre do sino (apenas o protagonista se dá conta de que a bomba está na St. John the Divine e não nas torres do World Trade Center) e fazendo com que o portador inadvertido do artefato explodisse através da grande rosácea. Naquele Natal, enchemos a tela de azul.

Enquanto escrevo isso, me dou conta de que não quero terminar este relato.

Tampouco quero que o ano termine.

A loucura está arrefecendo, mas não há nenhuma clareza ocupando seu lugar.

Procuro uma resolução, mas não encontro nenhuma.

Não quero que o ano termine porque sei que, conforme os dias forem passando, e janeiro der lugar a fevereiro e fevereiro der lugar ao verão, determinadas coisas vão acontecer. Minha imagem de John no instante de sua morte vai se tornar menos imediata, menos crua. Vai se tornar algo que aconteceu em outro ano. Minha percepção do próprio John, John vivo, ficará mais remota, até mesmo "turva", esmaecida, transformada no que quer que sirva melhor à minha vida sem ele. Na verdade, isso já começou a acontecer. Durante todo o ano, acompanhei a passagem do tempo pelo calendário do ano passado: o que estávamos fazendo nesse dia no ano passado, onde jantamos, será que esse é o dia em que, há um ano, tomamos um avião para Honolulu depois do casamento de Quintana, será que é o dia do ano passado em que voltamos de Paris, *será que é o dia*. Hoje me dei conta, pela primeira vez, de que minha lembrança deste mesmo dia um ano atrás é uma lembrança que não envolve John. Porque este dia, um ano atrás, era 31 de dezembro de 2003. John não viu este dia um ano atrás. John estava morto.

Eu estava atravessando a Lexington Avenue quando me dei conta disso.

Sei por que tentamos manter vivos os mortos: tentamos mantê-los vivos para que permaneçam conosco.

Também sei que, se quisermos viver, chega um momento em que temos que nos libertar dos mortos, deixá-los ir, deixá-los mortos.

Deixar que se tornem uma fotografia em cima da mesa.

Deixar que se tornem um nome nas contas fiduciárias.

Deixar que sejam levados pela água.

Saber disso não faz com que seja nem um pouco mais fácil deixar que sejam levados pela água.

Na verdade, hoje, na Lexington Avenue, a compreensão de que nossa vida em comum vai ser cada vez menos o centro de meus dias me pareceu uma traição tão evidente que perdi por completo a noção dos carros que vinham em minha direção.

Penso no fato de ter deixado o colar de flores na St. John the Divine.

Uma lembrança daquele Natal em Honolulu quando preenchemos a tela de azul.

Nos anos em que as pessoas ainda deixavam Honolulu nos navios da Matson Lines, o costume no momento da partida era jogar os colares de flores na água, como uma promessa de que o viajante ia voltar. As flores eram sugadas pelo rastro dos navios e ficavam marrons e machucadas, da mesma maneira que as gardênias no filtro da piscina da casa de Brentwood Park tinham ficado marrons e machucadas.

Em outra manhã, quando acordei, tentei me lembrar da disposição dos cômodos na casa de Brentwood Park. Eu me imaginei andando por aqueles cômodos, primeiro no andar térreo, depois no andar de cima. Mais tarde naquele mesmo dia, percebi que tinha me esquecido de um dos quartos.

O colar de flores que eu deixara na St. John the Divine já deve estar marrom a esta altura.

Colares de flores ficam marrons, placas tectônicas se deslocam, correntes profundas avançam, ilhas desaparecem, cômodos são esquecidos.

Viajei para a Indonésia, para a Malásia e para Singapura com John em 1979 e 1980.

Algumas das ilhas que estavam lá naquela época não existem mais, engolidas pelo mar.

Penso em quando entrava nadando com ele na gruta em Portuguese Bend, na ondulação de água transparente, na forma como ela mudava, na rapidez e na força que adquiria ao estreitar-se por entre as rochas na base da falésia. A maré tinha que estar no ponto certo. Tínhamos que estar na água no exato momento em que a maré atingia o ponto certo. Só conseguimos fazer isso meia dúzia de vezes, no máximo, nos dois anos em que moramos lá, mas é disso que me lembro. Todas as vezes que o fazíamos eu ficava com medo de perder a elevação da água, de ficar para trás, de calcular mal o tempo. John nunca tinha medo. Era preciso sentir a mudança na ondulação. Era preciso acompanhá-la. Ele me falou isso. Não havia ninguém olhando por nós, mas ele me disse isso.

PERMISSÕES E AGRADECIMENTOS

Um profundo agradecimento às seguintes pessoas e instituições
pela permissão para citar material previamente publicado:

COLUMBIA UNIVERSITY PRESS

Trecho de "Re-Grief Therapy", de Dr. Volkan, *Bereavement: Its
Psychosocial Aspects*, organizado por Schoenberg, Gerber, Wiener,
Kutscher, Peretz e Carr. Copyright © 1975 by Columbia University
Press. Reproduzido com permissão da Columbia University Press.

HARCOURT, INC. & FABER AND FABER LTD.

Trecho de "East Coker", em *Four Quartets*, de T.S. Eliot. Copyright
© 1940 by T.S. Eliot e renovado em 1968 by Esme Valerie Eliot.
Reproduzido com permissão da Harcourt, Inc. and Faber and
Faber Ltd.

EUGENE KENNEDY

Trecho de uma carta escrita por Eugene Kennedy a Joan Didion.
Reproduzido com permissão da autora.

LIVERIGHT PUBLISHING COMPANY

Trecho de "Buffalo Bill's." Copyright 1923, 1951, © 1991 by
Herdeiros do E.E. Cummings Trust. Copyright © 1976 by George
James Firmage, de *Complete Poems: 1904-1962*, de E.E. Cummings,
organizado por George J. Firmage. Reproduzido com permissão da
Liveright Publishing Company.

MASSACHUSETTS MEDICAL SOCIETY

Trecho de "Out-of-Hospital Cardiac Arrest — The Solution Is Shocking", de David J. Callans, *The New England Journal of Medicine* (August 12, 2004). Copyright © 2004 by Massachusetts Medical Society. Reproduzido com permissão da Massachusetts Medical Society.

EARL MCGRATH

Trecho de um poema escrito por Earl McGrath. Reproduzido com permissão do autor.

NEW DIRECTIONS PUBLISHING CORP.

Trecho de "Calmly We Walk Through This April's Day", de Delmore Schwartz, *Selected Poems: Summer Knowledge*. Copyright © 1959 by Delmore Schwartz. Reproduzido com permissão da New Directions Publishing Corp.

THE NEW YORK TIMES AGENCY

Trecho de "Death Comes Knocking", de Bob Herbert, *The New York Times* (November 12, 2004). Copyright © 2004 by The New York Times Co. Reproduzido com permissão da The New York Times Agency.

OXFORD UNIVERSITY PRESS

Trechos de "Spring and Fall", "Heaven-Haven", "No Worst" e "I Wake and Feel", de Gerard Manley Hopkins, *The Poems of Gerard Manley Hopkins*, 4. ed., organizado por W.H. Gardner e N.H. MacKenzie (1970). Reproduzido com permissão da Oxford University em nome da British Province of the Society of Jesus.

RANDOM HOUSE, INC.

Trecho de "Funeral Blues", copyright 1940 e renovado em 1968
by W.H. Auden, *Collected Poems by W.H. Auden*. Reproduzido com
permissão da Random House, Inc.

VIKING PENGUIN

Trecho de "Self-Pity", de D.H. Lawrence, *The Complete Poems of
D. H. Lawrence*, organizado por V. de Sola Pinto e F.W. Roberts.
Copyright © 1964, 1971 by Angelo Ravagli e C.M. Weekley,
executores do espólio de Frieda Lawrence Ravagli. Reproduzido
com permissão da Viking Penguin, uma divisão do Penguin Group
(USA) Inc.

Este livro foi impresso pela Lis Gráfica, em 2022, para a HarperCollins Brasil. A fonte do miolo é Adobe Caslon Pro . O papel do miolo é pólen soft 80g/m², e o da capa é cartão 250g/m².